TITRES PARUS :

LE TRESOR DE NAPOLEON
LE SECRET DU PERE FOURAS
LE FANTOME SE REVOLTE
LES BIJOUX VOLES
TOURNAGE MOUVEMENTE
UNE MYGALE S'EST ECHAPPEE
L'ESPION DE FORT-LIEDOT
LE MONSTRE D'OLERON

LE MONSTRE D'OLERON

Texte :
Dan Mitrecey

Images :
Denise Chabot

ÉDITIONS FLEURUS, 11, rue Duguay-Trouin 75006 PARIS

Dépôt légal : Mai 1994.
Imprimé en France.

Chapitre 1
Les visions de Baptiste

Il est 9 h 30 du matin, dans le petit café-restaurant-dégustation de fruits de mer du port de la Fumée, à Fouras. Toute l'équipe de l'émission Fort-Boyard s'y est abritée de la pluie et une joyeuse animation règne en attendant le départ de la navette. Parmi les plus dissipés, qui s'interpellent en poussant des cris de joie, nous retrouvons Elisa, Gérald et Julien, heureux de retrouver leurs amis du tournage et excités à l'idée de passer une nouvelle journée avec eux. Debout au bar, des pêcheurs discutent en regardant d'un air débonnaire toute « cette jeunesse » trépidante et colorée. Derrière son comptoir, le volumineux patron, connu localement sous le nom de Riri, commente les actualités sportives du jour avec ses habitués, des pêcheurs ou les marins des navettes, dont l'embarcadère est tout proche. Gérald, toujours intéressé par une bonne discussion sur le sport, se joint à eux pour écouter les opinions en cours avant d'exposer la sienne.

— Mais c'est sûr qu'Indurain, y va gagner le contre-la-montre ! Y va leur mettre dix minutes dans la vue ! Au moins !

— T'as raison, petit, fait Riri en lui tapotant amicalement le sommet du crâne. C'est une locomotive, cet Indurain ! Mieux, c'est une fusée, voilà ! Et les autres, ils peuvent aller se rhabiller, un point c'est tout !

La porte s'ouvre et un homme entre en coup de vent. Il se dirige droit vers le groupe, qui échange passionnément ses impressions sur le tour de France, et commande un double café. Voyant sa mine pâlotte, Riri le questionne :

— Alors, Baptiste, ça va pas, aujourd'hui ? Tu prends un café double comme un Parisien qui a fait la fête... T'es sûr que tu préfères pas un petit pinot, comme d'habitude ?

Baptiste fait non de la tête et tapote nerveusement sur le zinc en attendant son café, qu'il engloutit dès que Riri le lui apporte. Sous sa casquette de pêcheur, qu'il porte en arrière de son crâne, ses traits sont tirés et sa bouche est agitée de tics. Ses collègues, réunis autour de lui, rigolent en voyant ses mains trembler en reposant la tasse.

— Oh, dis, Baptiste, fait l'un, arrête le café, sinon tu vas plus tenir en place !

— Qu'est-ce qui t'arrive ? demande un autre. Tu as trouvé une sirène dans tes chaluts ?

Tout le monde rit en lui tapant sur l'épaule.

— Tu ne crois pas si bien dire ! répond Baptiste.

Il allait poursuivre, mais il s'interrompt en secouant la tête. Riri hausse la voix :

— Mais qu'est-ce que tu as, à la fin ? Tu nous fais une tête d'enterrement, là... La pêche a été mauvaise ? Tiens, je vais te verser un petit pinot, et tu nous raconteras tout, allez !

Il verse un apéritif, qu'il pousse devant Baptiste. Vaincu, le pêcheur le boit d'un trait et répond sobrement :

— J'crois que j' deviens fou !

Gérald, sentant que l'homme n'ose pas parler et flairant quelque chose d'inhabituel, l'encourage à son tour :

— Allez-y, m'sieur, racontez-nous. Vous n'avez pas l'air fou du tout... dit-il gentiment pour le rassurer.
Baptiste regarde le garçon aux taches de rousseur et son air jovial le décide à se confier. Il rajuste soigneusement sa casquette sur le haut de son crâne, jette un coup d'œil circulaire à l'assistance, qui attend, et se lance :
— Ce matin, j'remontais mes filets au large d'Oléron pour rentrer avant la marée, et alors... j'ai... Vous allez vous ficher de moi !
Il s'interrompt encore, se gratte la tête pour se

laisser le temps de la réflexion et tend son verre vide à Riri.
— Tiens, reverse-moi un pinot !
— A la bonne heure ! fait Riri en souriant.
— Alors, tu parles ou il faut qu'on te torture ? lâche un des pêcheurs, malade de curiosité.
Baptiste prend le temps d'avaler son verre, fait claquer sa langue et lance d'un trait :
— Alors, j'ai vu un monstre marin !
Malgré le brouhaha ambiant, le silence se fait parmi les consommateurs. Tous se regardent, l'air ahuri, et soudain ils éclatent de rire. Baptiste, un peu vexé, ronchonne en rabattant sa casquette :
— Vous voyez bien que vous rigolez ! Bon sang, j'aurais rien dû dire, et voilà !
Gérald, qui a gardé son sérieux, intervient :
— C'était quoi, comme monstre, m'sieur ?
— Ben... j' l'ai pas bien vu, avec le brouillard qu'il y a aujourd'hui... On aurait dit comme un gros lézard...
Les rires redoublent autour du comptoir et un pêcheur s'esclaffe :
— Un gros lézard, en pleine mer ! Ça, pour le coup, il vaudrait mieux arrêter les apéritifs, Baptiste, parce qu'après c'est les éléphants roses, et tout et tout !
Gérald, imperturbable, continue à questionner le pauvre homme accablé par les moqueries :

— Et vous étiez où, quand vous l'avez vu ?
— Devant Oléron, au large du Fort noir... Mais j'ai peut-être eu des visions, y'avait beaucoup de brouillard.
— T'es sûr que c'est pas le bateau du forage que tu as vu ? demande un des marins. Ils ont fait sauter des fonds sous-marins pour installer une plate-forme de forage, ces derniers jours.
Baptiste hausse les épaules, l'air excédé, et fouille dans sa poche pour en extraire quelques pièces, qu'il jette sur le comptoir.
— Tiens, paye-toi ! fait-il, fâché. Je préfère rentrer que de vous voir vous payer ma tête.
Les rires retombent un peu et Riri, l'air conciliant, retient Baptiste par le bras.
— Attends un peu, Baptiste ! Si on ne peut plus rigoler, alors ? C'est qu'elle est incroyable, ton histoire de monstre, là... Allez, tiens, c'est ma tournée. Raconte-nous ça en détail, et vous, vous autres, arrêtez de rire, hein ! ajoute-t-il avec un clin d'œil aux marins accoudés au bar.
Il sert un Coca pour Gérald et tous se taisent, attendant les explications de Baptiste, qui se laisse convaincre.
— Ben, comme j'vous dis... Y'avait du brouillard, il était 7 heures à peu près, et j'ai vu cette forme immense qui est passée pas loin de mon chalutier...

— Tu as entendu du bruit ? demande sérieusement un des pêcheurs.
— Pas vraiment... Comme un glissement... Le temps que j'appelle mon second pour qu'il vienne voir, ça avait disparu dans le brouillard. Alors, sur le coup, je m'suis dit : Baptiste, ça y est, tu deviens fou ! Mais pourtant je l'ai bien vu, ce truc, j'en suis sûr.
Gérald, qui écoutait attentivement, sans rire le moins du monde, interroge :
— Vous avez vu si ça avait des écailles ?
— Des écailles, mon gars ? Non, j'pourrais pas dire... J'ai juste vu un gros corps, gros comme la navette, au moins, et un long cou, avec une grosse tête.
Un pêcheur donne une tape amicale dans le dos de Baptiste et conclut :
— Allez, va... Tu as dû forcer un peu sur le petit déjeuner, ce matin... Ça peut arriver à tout le monde ! Moi, ma femme, un jour, après un anniversaire un peu arrosé, elle a vu une soucoupe volante se poser dans le jardin ! Elle en a même parlé aux gendarmes, alors...
Malgré la promesse de Riri, les éclats de rire repartent de plus belle, et chacun de raconter ses histoires personnelles sur les visions fantaisistes des membres de sa famille. Baptiste, accablé par le peu de crédit que ses amis font à son aventure, finit par plier bagage, les yeux

dans le vague et la casquette sur la nuque. Les rires continuent tandis qu'Elisa rejoint Gérald, accoudé avec les marins.
— Le brouillard est encore épais, mais il paraît que l'on ne va pas tarder à partir. Julien est parti faire ses provisions... Eh bien, on dirait que tu passes un bon moment, toi !
Gérald allait répondre quand un autre marin fait irruption dans le café et se dirige tout droit vers le comptoir, l'air ahuri et les yeux vagues. La foule des consommateurs l'accueille avec des cris de joie. Riri, hilare, couvre le brouhaha :
— Oh là là, René ! Tu en fais, une tête ! On dirait que tu viens de voir le monstre !
René se fige, la surprise sur son visage.
— Vous êtes déjà au courant ? !

Chapitre 2
Monstres marins

A bord de la navette, toute l'équipe a finalement embarqué, malgré un épais brouillard qui ne permet qu'une vision réduite. Emile, le capitaine, se concentre sur sa barre en maintenant une vitesse plus lente qu'à l'habitude afin d'éviter d'éventuelles embûches. La faible visibilité et l'absence totale de vent, qui laisse la mer d'huile, rendent les sons presque irréels, et les voix des personnages et techniciens de Fort-Boyard semblent venir de nulle part. Les trois amis se sont rassemblés à l'avant du bateau, et Gérald termine de raconter l'histoire de Baptiste aux deux autres. Elisa, ses longs cheveux blonds retenus par son bandana traditionnel, écoute attentivement l'étrange histoire. Comme à son habitude, Julien déguste avec ferveur un magnifique croissant en écoutant son ami. Il engloutit la dernière bouchée tandis que Gérald conclut :

— Et ce René, il l'avait vu aussi, et dans le même coin...

— Hmmouais, fait Julien avec une moue incrédule, t'es sûr que c'est pas une blague que les deux auraient montée ? Baptiste et René, j'veux dire... Des fois, on monte des canulars comme ça, à l'école... On fait croire aux petits du cours primaire qu'on a vu des monstres terribles dans la forêt, et alors ils ont peur, et nous, on se marre bien.

— Ces hommes ont passé l'âge de faire des farces pareilles, Julien, dit Elisa en secouant la tête.

— Alors, c'était une baleine ! conclut Julien. Gérald hausse les épaules.

— Meuh non ! Une baleine, ça ne ressemble pas à un lézard, et puis ils sont marins, ces types ! Ils n'iraient pas confondre une baleine avec un monstre comme ça !

— Bah alors, ils devaient avoir bu un petit coup de trop, et puis c'est tout, dit Julien pour clore le débat.
— Non, monsieur, reprend Elisa. Ce qui est troublant, c'est qu'ils aient eu la même vision, alors qu'ils se trouvaient dans la même zone... S'il n'y en avait eu qu'un à voir cette chose, on pourrait peut-être te donner raison, mais deux personnes... Voyons... Soit il y avait vraiment quelque chose sur la mer ce matin, soit ce sont deux farceurs qui veulent passer un bon moment...
— Ou alors, une hallucination collective, coupe Gérald, fier d'utiliser une expression « technique ». Ça arrive, y'en a qui ont vu des soucoupes volantes aux mêmes endroits...
— Et qui te dit que les soucoupes volantes, ça n'existe pas ? demande Julien d'un ton sec.
Gérald ricane :
— C'est ça ! Pilotées par Ian Solo, avec Dart Vador entouré de petits Martiens tout verts... Mon pauvre Julien ! Tu regardes trop la télé !
— Eh bien, moi, j'suis sûr qu'elles existent, les soucoupes volantes, et peut-être bien que c'est une d'elles qui a déposé le monstre de ce matin, voilà ! conclut Julien.
Et il s'écarte ostensiblement de ses amis pour bien signifier son agacement. Elisa et Gérald, après un petit clin d'œil complice, prennent le parti de l'ignorer.

— De toute façon, continue Elisa, il nous faudra attendre ce soir pour en savoir plus. En repassant chez Riri, nous demanderons s'il y a eu de nouveaux témoins. Ce sera intéressant de savoir.
— Ouais, approuve Gérald. En attendant, profitons de cette journée et amusons-nous. On est là pour ça.
Ils décident de se mêler un peu à la joyeuse équipe qui est réunie à l'arrière de la navette, certains bien à l'abri sous les auvents de toile, d'autres humant l'air marin ou scrutant le

brouillard afin de repérer le fort dans la brume épaisse.
Criant fort pour couvrir le ronflement du moteur, Gérald se renseigne auprès d'Emile, debout à la barre :
— Dites, m'sieur... Y'a pas d'écueils ni de hauts-fonds, par ici ?
— Non, mon gars, répond le capitaine sans quitter l'horizon des yeux, mais des fois y'a des plaisanciers en vadrouille. Une fois, j'ai failli éperonner un pédalo au large de l'île de Ré. On se demande comment ils avaient pu pédaler jusque-là, on était au moins à deux milles de la côte ! Avec les touristes, faut toujours avoir l'œil, c'est moi qui t'le dis, mon p'tit !
— Et du côté du Fort noir, y'en a, des écueils, par là ? poursuit Gérald.
Emile, qui semble heureux d'avoir un interlocuteur, répond aimablement :
— Vers Oléron ? Ah, pour ça, non ! C'est le coin le plus sûr de la région ! D'abord, la côte descend en pente douce, et après y'a toujours à peu près quinze, vingt mètres de fond, c'est régulier. D'ailleurs, c'est pour ça qu'ils doivent y faire des forages. Tu t'intéresses à tout ça, toi, mon gars ?
— Ben oui, m'sieur, mon père est marin aussi, alors j'aime bien savoir, quoi...

— Ah ? fait Emile en souriant. Et il navigue où, ton père ?
— Oh, seulement dans les parcs à huîtres ! Il n'est qu'ostréiculteur, répond Gérald d'un air faussement modeste.
— C'est un très beau métier, ça. Et toi, plus tard, tu feras comme lui ?
— Ben, j'sais pas trop, m'sieur... Moi, j'voudrais bien être technicien au cinéma ou à la télé... avoir une caméra, et faire des reportages dans tous les coins du monde, et aussi filmer des animaux qu'on voit jamais ou dont les gens nient l'existence... Vous en avez déjà vu, vous, des trucs comme ça ? demande Gérald en guettant la réaction d'Emile.
Le capitaine, tout en manœuvrant habilement sa grosse barre en bois, éclate de rire et répond :
— Ah, pour ça, non, mon gars ! Tu sais, ici, dans le Pertuis, on en voit rarement, des trucs, comme tu dis... ah, ah, ah !
— Pourtant, j'suis sûr que ça existe, continue Gérald d'un air convaincu.
Le marin reprend son sérieux et hoche la tête devant la certitude du gamin.
— T'as p't-être raison, mon gars ! Y'en a qui ont fait les traversées des océans et qui ont raconté avoir vu des trucs géants, comme tu dis... Des calamars de vingt mètres de long,

avec des tentacules de dix mètres au moins, qui broyaient les bateaux.
Il lâche la barre une seconde et ouvre ses mains devant lui comme un pêcheur qui décrit une prise gigantesque, et il poursuit :
— D'autres ont dit avoir rencontré des baleines de taille effrayante, grandes comme des immeubles, avec une gueule comme un tunnel...
Il jette un coup d'œil en coin pour mesurer l'effet produit par son histoire. Devant les yeux écarquillés de Gérald, il le rassure vivement :
— Mais t'inquiète pas trop, mon gars ! Ça doit être des racontars de marins alcooliques ou désœuvrés... C'est pas demain la veille qu'on va voir ça par ici !
Gérald s'est hissé dans le poste de pilotage pour ne plus avoir à crier. Il tient à poursuivre cette instructive conversation et continue à questionner le brave homme :
— Et des trucs avec des écailles, vous en avez entendu parler, m'sieur ?
Emile lâche un gros rire sonore :
— Ah, ah, ah ! Des écailles, hein ? Et pourquoi pas des cornes et des petites queues fourchues, pendant que tu y es ! Tu aimes trop le cinéma, mon gars ! Y'a que les Ecossais qu'ont inventé une histoire pareille, le

monstre du loch Ness... Mais c'est des blagues pour faire venir les touristes, ça, c'est tout... Tu m'as l'air d'avoir une sacrée imagination, toi !
Et il rit encore en donnant une claque affectueuse dans le dos de Gérald, qui quitte sa cabine après un sourire amical, un peu déçu de n'en avoir pas appris plus. Il rejoint Elisa, en conversation avec Passe-Partout et Passe-Temps, quand ils entendent à l'avant du bateau la voix de Julien, qui hurle :
— Elisa, Gérald ! Venez ! Viiiiite !
Ils se ruent à la proue et rejoignent Julien surexcité, montrant du doigt un point devant eux tout en scrutant le brouillard.
— Là ! J'l'ai vu ! Un monstre énorme !

Chapitre 3
Le naufragé

Après avoir passé une bonne dizaine de minutes à écarquiller les yeux pour pénétrer le brouillard dans la direction montrée par Julien, les trois amis se résignent et se rendent à l'évidence : le monstre a disparu.

— T'es bien sûr que t'as vu quelque chose, au moins ? demande Gérald, la mine soupçonneuse.

Julien prend son plus bel air offensé pour répliquer d'un ton de reproche :

— Gérald !
— Ça devait être l'île d'Aix que t'as vue, on doit être juste devant... continue le grand, sceptique.
Elisa vient au secours du petit.
— Enfin, Gégé, il n'inventerait pas une chose pareille ! Raconte-nous ce que tu as vu, Julien. Souviens-toi bien !
— Ben... avec le brouillard... j'ai pas vraiment bien vu...
— On dirait Baptiste ! s'exclame Gérald.
— Laisse-le parler, Gégé ! coupe Elisa.
Satisfait de pouvoir capter l'attention de ses deux amis après la bouderie au sujet des soucoupes volantes, Julien décide de prendre son temps. Il sort un nouveau croissant de son petit sac à dos en toile vert fluo, replie soigneusement le papier, qui doit en contenir encore quelques-uns, et le range avec un soin exagéré dans le sac, qu'il referme lentement. Sans un mot, il entame le croissant avec un air angélique en regardant aimablement ses deux amis. Gérald fulmine et Elisa se mord les lèvres pour ne pas rire. Elle fait mine de se fâcher :
— Mais enfin, Julien ! Raconte-nous ! Gérald promet de ne plus rien dire, ajoute-t-elle pour entrer dans le jeu du petit.
Il prend quand même le temps d'avaler deux

bonnes bouchées, puis, avec l'air important d'un présentateur de journal télévisé, il se décide finalement :

— Donc, je n'ai pas bien vu à cause du brouillard... Mais c'était immense... comme le bateau... de couleur, euh... je dirai verdâtre et marron... et on aurait dit que ça avait... comme de grandes ailes repliées... et aussi dentelées, un peu comme une chauve-souris. Quel dommage que vous n'ayez pas pu voir ça ! Je ne l'ai vu que quelques secondes à peine... Voilà, c'est tout...

Et, avec un large sourire, il mord à nouveau dans son croissant en jugeant de l'effet produit par son récit. Gérald explose :

— Tu te moques de nous, oui ! T'as rien vu du tout et tu veux faire ton intéressant, voilà !

— Tu penses ce que tu veux, Gégé ! répond Julien d'une voix mielleuse.

Elisa, s'amusant toujours de la gentille rivalité qui oppose souvent ses deux amis, décide de mettre fin à leur querelle :

— Bon ! De toute manière, il n'y a pas moyen d'en savoir plus et, jusqu'à preuve du contraire, pas de raison de ne pas croire Julien. Alors, stop ! Vous arrêtez et, ce soir, en rentrant, nous essaierons de questionner les marins. En attendant, nous arrivons à Fort-Boyard, et je vous rappelle que nous sommes ici pour assister à l'émission.

Les deux garçons, comme toujours ramenés à la raison par les paroles de leur aînée, se fendent d'un large sourire et se tapent finalement dans les mains en signe de paix.
La navette fait retentir sa sirène, et le brouillard qui se déchire laisse apparaître l'île de pierre et sa plate-forme de métal où ils doivent débarquer. La mer très calme et l'absence de vent rendent la manœuvre très facile et, en quelques minutes, tout le monde se retrouve dans le fort par la grâce de la nacelle de corde. Christian et Franck, les deux marins de Fort-Boyard, pilotes des Zodiac

d'intendance, accueillent les trois jeunes avec gentillesse.

— Aujourd'hui, à cause du brouillard, nous sommes au chômage, alors c'est nous qui nous occuperons de vous, dit Christian, un grand brun aux cheveux longs et au sourire chaleureux.

— Alors, vous pouvez nous demander ce que vous voulez, vous ne nous dérangerez jamais, O.K., les amis ? ajoute Franck, plus petit, plus carré et le visage barré d'une grosse moustache rousse.

Christian poursuit :

— Faites votre vie et, si vous voulez nous voir, on est sur la plate-forme pour des petits travaux de réparation, d'accord ?

— D'accord ! répondent en chœur les trois amis, conquis par leur gentillesse.

L'effervescence habituelle gagne l'équipe du tournage et tous se rendent à leurs postes de travail pour préparer la répétition qui doit commencer dans une demi-heure. Gérald, les yeux pétillants du plaisir de retrouver cette ambiance qu'il adore, se frotte les mains et propose :

— Bon ! Moi, j'irais bien en régie pour écouter le « brief » de la journée.

— C'est quoi, le brief, Gégé ? demande Julien.

Son ami ne peut s'empêcher de prendre un air supérieur pour répondre :
— C'est la conférence entre le réalisateur et les techniciens pour mettre au point le fil conducteur de l'émission. C'est là que se décide tout ce qui va être fait pendant la journée. C'est génial d'y être, parce que, comme ça, après, tu comprends tout ce qui se passe.
— Moi, je trouve qu'avant nous devrions aller dire bonjour au père Fouras, c'est la moindre des choses, suggère Elisa.
Julien approuve, mais Gérald fait la moue.
— Bof ! Il va sûrement ne pas nous reconnaître, tu sais, tente-t-il, déçu que sa proposition soit rejetée.
Elisa lui sourit avec compréhension.
— Peut-être, mon Gégé, mais c'est gentil d'aller le voir quand même. Nous ne resterons que quelques instants et puis, après, nous irons en régie pour ton brief, c'est promis.
Ils allaient se diriger vers l'escalier menant à la vigie, antre du père Fouras, quand ils aperçoivent Franck et Christian, les deux marins du fort, soutenant par-dessous les épaules un homme tout habillé, trempé jusqu'aux os. Intrigués, ils décident de les rejoindre et se retrouvent à la cafétéria du fort, domaine exclusif de Fernand, le cuisinier au physique de bagnard, ami particulier et personnel de

Julien depuis leur précédente visite. Les deux marins ont assis l'homme à une table et l'aident à ôter ses vêtements trempés. Il semble épuisé et son corps est agité de tremblements. En constatant la présence des trois amis, Franck leur souffle discrètement :
— Il est arrivé à la nage !
Prestement, Fernand apporte un bol de café fumant que l'homme engloutit avec avidité, sans se soucier de la haute température du liquide. Franck file vers la cellule de l'habilleuse, en quête de vêtements secs, tandis que l'homme entreprend de se sécher les cheveux au moyen de serviettes apportées par Fernand. Christian, le sentant réconforté, se permet de le questionner :
— Alors, monsieur, qu'est-ce qui vous est arrivé, et comment êtes-vous là ?
Gêné, il le regarde et baisse les yeux. Il bredouille :
— J'étais tout seul sur mon bateau, un voilier de six mètres, et je rentrais à Rochefort, où ma famille m'attend... Je... et alors, j'ai...
Il s'interrompt pour essuyer encore ses cheveux, puis regarde fixement un point imaginaire devant lui sans en dire plus.
Intrigué, Christian l'encourage :
— Oui, et alors, vous avez...
Comme à regret et en ponctuant doucement

ses propos de petits coups de poing sur la table, l'homme se lance :
— Ben... une chose énorme a percuté mon bateau, l'a coupé en deux et je suis venu à la nage. C'est tout.
Christian lâche un petit rire gêné, sans comprendre, et incite l'homme à donner des précisions :
— Vous voulez dire que vous êtes entré en collision avec un autre bateau, c'est ça ?
— Non, non ! fait le naufragé presque violemment. Cette chose dont je parle, ce n'était pas un bateau, et je sais ce que je dis, je ne suis pas dingue !

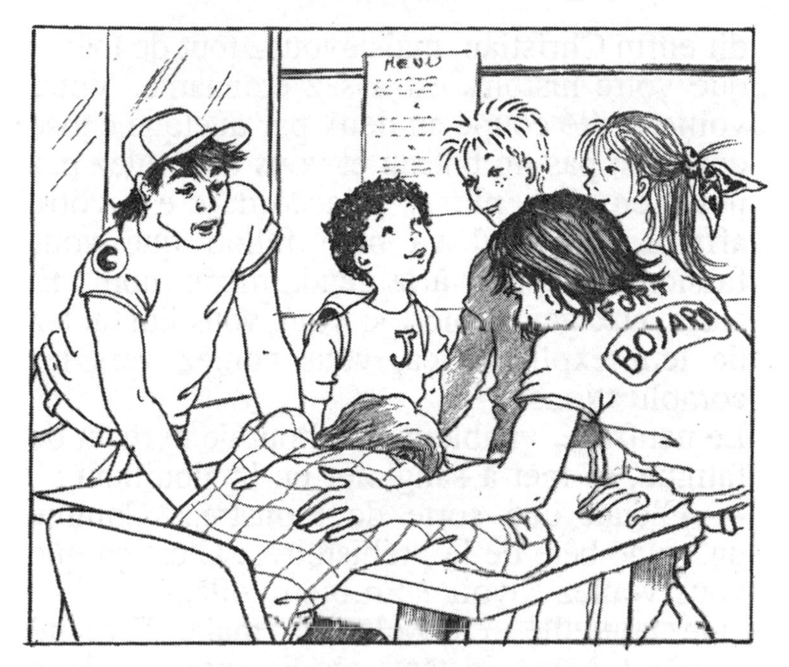

Chapitre 4
Balade dans le brouillard

Le naufragé est assis, la tête posée sur ses bras croisés, essayant de récupérer et d'oublier le cauchemar qu'il vient de vivre. Il porte les habits secs apportés par Franck, qui se tient à ses côtés, une main compatissante posée sur son épaule. Christian le regarde, incrédule, et Elisa, Gérald et Julien n'osent pas intervenir après avoir échangé des coups d'œil entendus.

— Moi, je veux bien vous croire, monsieur,

dit enfin Christian, mais avouez tout de même que votre histoire est assez étonnante. Votre voilier a été coupé en deux par quelque chose qui n'est pas un bateau et vous ne voulez pas nous en dire plus... D'accord, c'est votre affaire... Mais il va bien falloir que vous fassiez un rapport à la gendarmerie, non ? Et alors, aux gendarmes, si vous vous contentez de leur expliquer ça, vous courez vers les complications.

Le naufragé, visiblement à bout de nerfs et de fatigue, se met à sangloter en bredouillant :

— C'était une sorte de monstre... Comme un... une bête de la préhistoire... C'est ça que vous voulez savoir ? Eh bien voilà...

Une bouteille d'alcool à la main, Fernand survient à cet instant, tandis que les deux marins échangent un regard indiquant des doutes évidents sur la santé mentale du pauvre homme. Ne sachant trop quoi faire ou dire, les trois petits amis essaient de le réconforter par des mots gentils :

— Allez, buvez-moi ça d'un trait ! tonne Fernand d'un ton sans réplique.

Le naufragé s'exécute, tousse un peu et retrouve des couleurs sous l'effet bénéfique du remontant. Il se redresse.

— Il faut que je prévienne ma famille, qui doit s'inquiéter ! Vous avez sûrement un téléphone ici.

— Voilà, c'est ça, approuve Franck, prévenez les vôtres, et puis on va vous ramener à Fouras. On appellera un taxi.
Ils l'aident à se lever et l'entraînent vers la régie. Restés seuls avec Fernand, Elisa, Gérald et Julien échangent leurs impressions. Le plus jeune ne manque pas l'occasion qui s'offre à lui.
— Alors, qu'est-ce que je vous avais dit, hein ? C'est bien lui que j'ai vu, Gérald !
Gérald rentre aussitôt dans la querelle.
— Mouais... Mais ça ne prouve rien. Le bonhomme, il n'a pas voulu nous le décrire, alors... on n'en sait pas plus...
— Oooh, quelle mauvaise foi ! s'écrie Julien, exagérément outragé.
Elisa calme son monde et parle à voix basse :
— Ça suffit, vous deux ! Vous n'allez pas recommencer, hein ? Là, l'histoire devient vraiment intéressante. Il ne peut plus s'agir d'hallucinations collectives ou de canulars de plaisantins. Le monstre a l'air bien réel.
— Bah ! Bien sûr, hé ! ajoute Julien en haussant les épaules devant l'évidence.
Soudain, Elisa s'exclame :
— J'ai une idée ! Vous avez entendu Franck, il a dit qu'ils allaient le ramener à terre. Allons avec eux et persuadons celui qui pilote de faire un tour dans le coin. Nous trouverons peut-être quelque chose...

— Super ! Sus au monstre ! clame Julien.
— Eh, mais dites, c'est pas dangereux, ça ? Et s'il vient nous dévorer, ton monstre ? hésite Gérald.
— Ah, tu vois que tu y crois ! le taquine Julien en le narguant du doigt.
Une voix tonitruante les fait sursauter :
— Qu'est-ce que c'est que ces histoires de monstres, là ? Vous me faites l'effet d'une belle bande de petits conspirateurs avec vos chuchotements !
Fernand, de son ton le plus sévère et les sourcils dressés, éclate de rire :

— Vous avez cru à son histoire et vous voilà sur la piste du monstre des mers, hein, c'est bien ça ? Ah, ah, ah ! Vous avez bien raison, allez ! Amusez-vous ! Et si vous le tuez, ce monstre, amenez-le-moi, on fera un bon ragoût !
En riant à l'unisson de Fernand, les trois amis quittent la cafétéria et filent vers la plate-forme, où ils retrouvent Christian, qui prépare le Zodiac pour ramener le naufragé.
Elisa engage la conversation.
— Alors, c'est vous qui le ramenez à terre, le pauvre homme ?
— Oui ! Quelle histoire, hein ? répond Christian en vérifiant le moteur.
— A combien on peut monter sur ces Zodiac ? demande Gérald, mine de rien.
— Oh, cinq, six, pas plus ! Ça dépend du poids des passagers.
— Et vous avez des gilets de sauvetage, bien sûr ? s'inquiète encore Gérald.
— Bah oui... c'est indispensable ! fait Christian en souriant sous le feu des questions.
Julien parvient à ne pas trop exagérer son air innocent.
— Ce serait génial de faire une petite balade, hein, Elisa ? dit-il innocemment, les mains dans le dos, en se tournant vers son amie.
Christian l'observe en faisant la moue et en fronçant les sourcils, puis il éclate de rire :

— Ah, ah ! Ça va ! J'ai compris ! Tiens, vous allez venir avec moi ramener notre homme à Fouras. Les gilets sont là, enfilez-les, on ne va pas tarder à partir.
Sans dire le moindre mot, ils enfilent les gilets de sauvetage en échangeant des œillades complices. Franck les rejoint avec l'homme un peu ragaillardi, sourit en les voyant harnachés pour la route et, sans faire de commentaires, ils quittent le rebord de pierre. Le brouillard est toujours aussi dense et Christian garde une allure réduite. Gérald décide de ne pas perdre de temps.
— Dites, m'sieur, il faudrait peut-être essayer de retrouver votre bateau. Il doit y avoir des objets à récupérer, non ?
— Oh, ça m'étonnerait qu'il n'ait pas coulé, éventré comme il était !
— Ben, ouais, mais on pourrait essayer juste un peu... Avec de la chance... Pas longtemps, mais on ne sait jamais...
Les deux adultes se regardent, hésitants, puis Christian cède :
— O.K. ! On va faire un tour, bien qu'avec le brouillard... Faudrait vraiment beaucoup de chance...
— Oui, ajoute le naufragé, et je ne crois pas que ce soit mon jour !
Le Zodiac ronronne tranquillement tandis que

tous écarquillent les yeux pour fouiller le brouillard à la recherche du moindre objet flottant qui se présenterait. Fréquemment, Christian consulte la petite boussole qui lui sert de compas afin de s'orienter de son mieux dans la brume. Le son d'un moteur parvient un instant jusqu'à eux, mais il leur est impossible d'évaluer son éloignement, la purée de pois étouffant tous les sons. Un peu impressionnés, les trois plus jeunes ne pipent mot. Les deux adultes non plus, d'ailleurs. Au loin, le bruit assourdi d'une sirène de cargo quittant le Pertuis résonne mystérieusement à leurs oreilles. Christian, pour rassurer ses trois protégés, sourit et imite maladroitement le son de la sirène. Ils éclatent de rire, mais le cœur n'y est pas vraiment. Le naufragé, une couverture sur le dos, se résigne.

— Pfouu ! Laissons tomber... Nous avons une chance sur mille et, de toute façon, il est probable qu'il a coulé... Je vous remercie d'avoir bien voulu essayer, mais c'est inutile, rentrons...

— C'est vrai, admet Gérald, déçu, et puis comment savoir si c'est bien par ici que vous avez eu l'accident ? Et puis il y a les courants et tout ça...

Christian vérifie le cap sur la boussole et modifie la trajectoire du Zodiac pour rentrer.

— Bon ! Alors, on va manger un bout ! lance Julien en ouvrant son sac pour y puiser dans ses réserves.
Généreusement, il en propose à tout le monde, mais seul Gérald, par envie et aussi pour l'agacer un peu, accepte un croissant. Les deux garçons en croquent une bouchée lorsque, apparemment non loin d'eux, un cri terrifiant, inhumain, retentit, qui leur glace le sang dans les veines.

Chapitre 5
Bruits de comptoir

Instinctivement, Christian a lâché la poignée des gaz, et le Zodiac ralentit avant de stopper sur son erre. Le marin souffle d'une voix sans timbre :

— Mon Dieu ! Mais qu'est-ce que c'est que ça ?

Personne n'ose répondre, paralysé par la peur que le hurlement a provoquée. Une bonne minute d'éternité passe sans qu'aucun d'entre eux se risque au moindre mouvement. A l'instant précis où ils commençaient à reprendre leurs esprits, un nouveau hurlement semblable, plus proche, leur dresse les cheveux sur la tête. Julien se jette contre Elisa et Gérald empoigne machinalement la main du naufragé, qu'il étreint de toutes ses forces pour éviter de hurler de peur. Le premier, Christian retrouve ses esprits et agrippe la poignée des gaz, qu'il actionne violemment.

— Cramponnez-vous ! crie-t-il en faisant rugir le moteur.

Le Zodiac bondit en avant et, oubliant toute prudence, le marin, blanc de peur, ramène son équipage jusqu'au port de Fouras. Lorsqu'on a mis pied à terre, les esprits se calment doucement et le souvenir du cri s'estompe un peu dans la quiétude du petit port de pêche. Le brouillard s'est levé sur la côte et, tout en marchant le long du quai pour remonter vers le café de Riri et la station de taxis, Christian essaie de blaguer un peu :

— Eh, on a rêvé, ou quoi ?

Le naufragé secoue la tête et répond :

— J'ai bien peur que non ! Enfin, vous me croirez peut-être, maintenant...

Les trois petits et Christian l'accompagnent au taxi et le quittent en lui souhaitant bonne route et bonne chance. Pour se détendre un peu, Gérald en profite pour faire de l'humour.

— Il ne manquerait plus qu'il se fasse couper en deux sur la route par un dinosaure !
Il se renfrogne en constatant que sa remarque ne fait rire personne. Un pâle soleil parvient enfin à crever le plafond bas, et Christian propose une halte chez Riri pour déguster un chocolat chaud. Ils s'installent en terrasse et commandent leurs boissons. Elisa décide de raconter à Christian les propos entendus ce matin par Gérald et la vision de Julien à bord de la navette. Le jeune marin l'écoute avec sérieux, posant des questions précises auxquelles ils répondent de leur mieux. Le café est presque vide, occupé seulement par quelques hommes qui discutent au bar avec Riri. Soudain, Gérald dresse les oreilles et donne un coup de coude à Elisa en lui montrant le comptoir.
— T'entends, Elisa ?
Le ton des conversations est monté et ils distinguent la grosse voix de Riri qui tonne :
— Je dis que vous êtes tous fous, avec vos histoires de monstres, un point c'est tout !
— Et moi, j' te dis que j' l'ai vu ! Je ne suis pas malade, quand même ! Et je dis que Baptiste avait raison. Y'a une bête qui rôde dans les parages et j'te garantis que c'est pas une baleine !
— C'est un genre de bête préhistorique,

ajoute une troisième voix, comme dans le film américain, là... qui a un nom de département... Jura quelque chose...

— Y faut prévenir les gardes-côtes et la gendarmerie ! proclame une quatrième voix.

— Eh ben, c'est ça, allez-y ! reprend Riri. Et si vous vous retrouvez pas à l'asile, je paie une tournée générale !

Christian, Elisa, Gérald et Julien se sont approchés pour mieux entendre la conversation. Quatre hommes, des marins, et Riri, les pouces passés dans ses larges bretelles, se tournent vers les arrivants.

Le patron les accueille avec bienveillance :
— Ah, mes petits amis ! Enfin, je vais pouvoir parler avec des gens sensés ! Ici, il n'y a que des ivrognes qui regardent trop la télé. Qu'est-ce qui vous amène ?
Après avoir jeté un coup d'œil hésitant à ses compagnons, Elisa décide de raconter les péripéties du naufrage et le cri épouvantable qu'ils ont entendu lors des recherches. Les pêcheurs ponctuent son récit d'exclamations étonnées et de hochements de tête approbateurs. Seul Riri, dans la même posture, son gros ventre en avant dans une allure de défi, reste imperturbable en écoutant Elisa. Christian vient fréquemment confirmer les dires de la jeune fille, renforçant la conviction des pêcheurs. Son histoire terminée, un des hommes frappe du plat de la main sur le zinc du comptoir et lance avec force :
— Voilà !... Eh ben moi, j'vous dis qu'y a un truc qu'est pas ordinaire qui s'balade dans l'coin. Riri, la petite, tu vas bien la croire, elle, au moins, oui ?
Le patron esquisse un sourire goguenard et conclut :
— Je la croirai quand je verrai votre bête, et pas avant ! C'est qu'il faut pas me faire prendre des vessies pour des lanternes, non mais !

Un des marins, celui qui parlait d'aller avertir les autorités, un grand gaillard au teint buriné, se plante soudain devant Riri, un sourire malin au bout des lèvres. D'une voix adoucie et mielleuse, il murmure :

— Dis donc, Riri... t'es vraiment pas malin !

Le gros cafetier prend une mimique offensée, mais l'autre poursuit :

— Tu fais le futé, comme ça, mais t'es vraiment pas malin... Et j'vais te dire pourquoi...

Il marque un silence pour assurer son effet et enchaîne :

— Si t'étais malin, tu y croirais, toi aussi, à cette bête... Et même que, en y croyant, comme ça, tu le ferais savoir bien fort qu'il y a une bête dans le coin... Et même que tu téléphonerais aux journalistes et tout ça, et j'te parie une tournée générale que, dans les deux jours qui suivent, tu fais le plein dans ton bistrot et ta recette pour tout l'été !

Il se recule, tapote familièrement le bedon du patron et quitte la salle en laissant Riri dans une tempête de réflexions. Celui-ci réagit néanmoins assez vite.

— Allez, hop, il va être midi ! C'est l'heure de manger ! On ferme ! ajoute-t-il pour congédier les clients restants.

Les autres pêcheurs paient et sortent en discutant des mesures à prendre pour organiser des recherches. L'un est d'avis qu'il faut préparer quelques bateaux et faire des explorations, un autre pense qu'il faudrait plutôt prévenir les gendarmes. Le désaccord règne. Christian regarde l'heure et s'écrie :

— Hou, c'est vrai ! Il faut que je retourne sur le fort, moi. Vous venez ?

— Bien sûr ! répondent les autres en chœur.

Ils reviennent rapidement au Zodiac en commentant les nouvelles informations.

— Quand même, dit Elisa, cela fait beaucoup de témoignages maintenant. Malheureusement, personne ne peut donner une description précise. Même Julien.

— Tu sais, Elisa, répond Julien en grattant d'un air embarrassé sa tignasse frisée, je l'ai à peine vu...

— Vous pensez qu'il y a un rapport entre le cri et la bête ? intervient Gérald.

— Qu'est-ce qui pourrait bien produire un son pareil, Gérald ? demande Elisa.

— Un monstre terrible, sûrement ! lâche Julien en frissonnant au souvenir du cri.

— T'en penses quoi, toi, Christian ? interroge Gérald en haussant le ton pour couvrir le bruit du moteur.

Le marin aux cheveux longs écarquille les yeux en hochant la tête avec embarras avant de répondre :

— Je pense qu'il y a quelque chose d'anormal, mais quoi ? Je n'en ai pas la moindre idée.
Gérald s'adresse de nouveau à ses deux complices :
— Tout ça, c'est bien joli, mais là, on revient sur le fort, et qu'est-ce qu'on fait ? On abandonne les recherches pour s'occuper de l'émission, ou bien quoi ?
Elisa réfléchit avant de claquer des doigts à cette idée :
— Il faut aller en parler au père Fouras !

Chapitre 6
Le livre du père Fouras

Revenus sans encombre sur le fort, Elisa, Gérald et Julien laissent Christian à ses occupations avec Franck, après avoir pris la décision commune de garder le silence sur le terrible cri entendu. Ils tombent en plein déjeuner, dans le furieux brouhaha de la cantine où toute l'équipe prend ses repas en chahutant comme des lycéens. Certains les interpellent joyeusement et ils répondent avec gentillesse avant de se trouver un endroit où s'installer. Julien se frotte les mains de plaisir en lorgnant le paquet de frites dorées qui ornent le plat de son voisin, Eric, un des assistants du réalisateur. Celui-ci leur adresse aimablement la parole :

— Dites, les jeunes, on ne peut pas dire qu'on vous a dans les jambes ! Personne ne vous a vus de toute la matinée !

— Oh, tu sais, répond Elisa en riant, nous avons tellement de choses à voir, ici ! Dis, le père Fouras, il commence à tourner dans combien de temps ? Parce qu'on voulait aller lui dire un petit bonjour...

— Il faudrait vous dépêcher, je crois qu'il est dans la première séquence ! répond l'assistant en jetant un coup d'œil à sa montre.

Et il ajoute :

— Vous avez quand même une bonne demi-heure...

Après l'avoir remercié d'un large sourire, Elisa se tourne vers Julien.

— Nous avons un peu de temps... Tu viens de sauver tes frites, bonhomme !

Le délicieux bifteck-frites de Fernand avalé de bon appétit, ils quittent rapidement la cafétéria pour monter sur le toit du fort, dans la vigie du père Fouras. Julien a réussi à sauver un mystérieux dessert, soigneusement enveloppé par Fernand, qu'il remise dans son sac à dos. Parvenus au sommet de l'escalier, ils se retrouvent sur les hauts remparts et constatent que le brouillard est un peu moins dense. Mais l'absence prolongée de vent, phénomène plutôt rare dans cette région, empêche sa dissipation totale. Après avoir grimpé une volée de marches inégales, ils parviennent dans le poste de vigie, pièce circulaire aux parois transparentes, où ils sont accueillis par Passe-Temps et le père Fouras. Le vieux sage ne manque pas d'embrasser Elisa et ses deux copains tandis que Passe-Temps s'éclipse pour aller déjeuner. Le très vieil homme les questionne de sa voix chevrotante si caractéristique :

— Alors, mes chers petits, qu'est-ce qui me vaut le plaisir de votre visite ?

— Oh, s'écrie Gérald vivement, on passait juste vous dire bonjour, on ne va pas vous déranger !

— Ahem... bien, bien... c'est gentil, ça ! Très gentil... Ah, là, là ! Comme c'est beau, la jeunesse... bien... bien...

Elisa, qui ne sait pas mentir ni faire semblant, intervient :

— En fait, père Fouras, notre visite est un peu intéressée... Nous...

Elle hésite une seconde et se lance :

— Nous voudrions en savoir plus sur les monstres marins...

Le père Fouras ouvre de grands yeux étonnés, lisse doucement sa barbe en regardant les trois paires d'yeux posées sur lui et sourit en répondant :
— Aha ! Les monstres marins ! Les légendes... Oui, oui... J'en connais, bien sûr... Ah, il y en a beaucoup... beaucoup ! Depuis toujours, les marins témoignent de rencontres avec des créatures extraordinaires... Des choses terribles, sorties des profondeurs incroyables au centre des océans.
Il s'enflamme en évoquant ses souvenirs et ses yeux se font brillants, rendant son regard

lointain, comme s'il creusait dans un coin de sa mémoire exceptionnelle afin de repartir sur les mers de sa jeunesse.
Puis ses gestes redeviennent plus lents et ses yeux se ferment pendant un long moment. Les trois amis ne bougent pas d'un pouce, attendant son « retour » parmi eux.
— Je dois avoir un ouvrage là-dessus... dit-il en se retournant vers les rayonnages qui occupent le bas des fenêtres circulaires.
Il fouille tout en grommelant au fur et à mesure de ses recherches. Après plusieurs méprises, il extrait un gros livre relié de cuir qu'il pose péniblement sur la tablette centrale.
— Voilà ! Ah, il y a longtemps qu'il n'a pas été ouvert, celui-là ! Tenez, je vous laisse le parcourir, je voudrais dormir un peu avant l'émission... Oui, oui... une petite sieste.
Il s'allonge sur le petit lit installé spécialement pour lui et ferme les yeux avec béatitude en murmurant :
— Vraiment... de gentils jeunes gens... me rappellent toujours de bons souvenirs... l'ancien temps... gentils jeunes gens...
Sa voix s'éteint sur le dernier mot et son souffle régulier emplit la pièce. Elisa observe la couverture du livre, dont le titre est presque effacé. Elle parvient à le déchiffrer et le lit à voix basse :

— « Légendes de la mer et autres monstres marins. »
Elle l'ouvre et commence à feuilleter avec précaution les grandes pages de vieux papier. Julien se glisse devant elle pour mieux voir, tandis que Gérald, traditionnellement peu attiré par les livres, s'empare de la longue-vue en cuivre du père Fouras et la braque sur l'horizon. Par instants, Julien pousse des exclamations en contemplant les dessins qu'offrent certaines pages du livre.
— Oh, là, là ! Quelle grosse pieuvre ! Et ça... Brrr ! Tu crois que ça existe, des choses pareilles, dans la mer, Elisa ?
D'une moue, son amie exprime son ignorance et continue à tourner les pages. Arrivée à la fin, elle le referme et se tourne vers Julien.
— Dommage que nous n'ayons pas le temps pour lire toutes les histoires ! Est-ce que tu as noté quelque chose qui ressemblait à ce que tu as vu ce matin ?
Embarrassé, Julien fait non de la tête et se justifie :
— Je t'ai dit, Elisa. Je ne l'ai pas vraiment bien vu... Mais est-ce que toi, tu as vu des monstres comme l'homme a dit ?
— Oui, il y en a deux ou trois... Des serpents géants, en quelque sorte, ou des animaux préhistoriques, comme dans « Jurassic Park ».

— J'ai pas vu le film, mon père pense que j'aurais eu peur... avoue Julien en souriant. Mais je connais quelques bêtes, le tyrannosaure, le brontosaure, et tout ça...
Gérald, qui n'a pas cessé d'observer l'horizon, pousse soudain un cri :
— Eh, c'est quoi, ça ?
Il abaisse un instant l'instrument pour vérifier à l'œil nu, puis l'ajuste à nouveau prestement en tournant la molette de réglage. Il crie presque :
— Elisa ! Regarde, toi ! Là-bas !
Il lui tend la longue-vue en désignant un point dans la nappe de brouillard qui masque encore l'île d'Oléron. Elisa balaie l'horizon sans succès tandis que Gérald trépigne à ses côtés. Il sautille sur place.
— Alors, tu vois ? Tu vois, Lisa ? Là-bas, c'est lui, j'suis sûr ! Je l'ai vu !
Elisa insiste quelques instants avant de renoncer à regret en repliant l'instrument. Julien, voulant tenter sa chance, le lui prend des mains et observe à son tour dans la direction indiquée. En souriant, Elisa calme Gérald avant de le questionner :
— Doucement, Gégé, tu vas réveiller le père Fouras ! Raconte-moi calmement ce que tu as réussi à apercevoir.
— C'est très gros... assez rond, avec un long

cou... genre vert jaunâtre... et ça glisse plutôt vite sur l'eau !
Elisa lui fait signe de la suivre jusqu'au livre, qu'elle rouvre, et cherche au long des pages.
— Regarde, est-ce que ça ressemble à ça ? Ou plutôt à celui-là ?
Gérald juge les dessins en plissant les yeux et répond par deux fois d'une moue négative. Elisa continue un moment, revient en arrière, quand Gérald l'arrête.
— Stop ! Celui-là ! C'est tout à fait ce genre-là !

Chapitre 7
Gérald lance un emprunt

Julien a rejoint ses amis pour observer le dessin sur lequel Gérald s'est arrêté. Ensemble, ils le contemplent longuement jusqu'à ce qu'Elisa demande :

— Et toi, Juju, tu trouves que c'est ressemblant ?

Le cadet secoue la tête en lâchant un grognement énervé.

— Mais puisque j'vous ai dit que je ne l'ai pas bien vu !

— Tu nous as quand même précisé qu'il avait de grandes ailes dentelées ! Tu as même dit qu'elles étaient repliées ! dit Elisa en essayant de dissimuler un sourire devant l'air buté du petit.
— Moi, j'ai pas vu d'ailes ! lance Gérald, de nouveau soupçonneux.
Julien essaie de s'en sortir en jouant la mauvaise foi.
— Alors, c'est que j'ai mal vu, ou peut-être qu'il y en a plusieurs ? dit-il, trouvant l'idée plutôt bonne.
Mais Elisa connaît son jeune ami sur le bout des doigts et elle comprend qu'il vient d'être pris en flagrant délit. Elle le raisonne gentiment :
— Dis donc, Juju... Tu nous as vraiment bien fait marcher avec ton histoire. Mais c'est trop important, maintenant tu dois nous dire la vérité.
Julien, cerné de toutes parts, relève finalement la tête, leur accorde son plus beau sourire misérable et murmure :
— Bon, ben... oui, c'est vrai... enfin, non, c'était pas vrai... enfin... j'ai rien vu, quoi...
— Ah, bravo ! explose Gérald. Ah, il est beau, lui !
Il se lance dans une imitation de son cadet en bêlant, la main sur le cœur :

— Quel dommage que vous ne l'ayez pas vu ! Moi, je sais ce que j'ai vu, Gégé ! Et on peut savoir quelle mouche a piqué monsieur pour qu'il ait envie de faire le malin ?
— Bah, j'y croyais pas, moi, à cette histoire de monstre... Alors, j'ai voulu rigoler un peu... Bon, ben, j'vous demande pardon, fait Julien avec un air de chien martyr.
Gérald se calme aussitôt et, tandis qu'Elisa rit franchement, il esquisse un sourire, passe affectueusement sa main dans la tignasse emmêlée et termine d'une bourrade dans le dos, symbole pour Gérald du pardon définitif. Passe-Temps apparaît à cet instant pour réveiller le père Fouras. Après avoir remis le livre en place, les trois amis prennent congé du vieil homme et de son protégé, se promettant de revenir très bientôt. Sur une proposition timide de Julien, ils décident d'aller tenir conseil chez Fernand. L'émission en direct doit commencer dans quelques instants, et ils aperçoivent les animateurs qui se concentrent au milieu de la cour. La cafétéria est déserte et ils s'y installent. Julien en profite pour s'attaquer au dessert de Fernand, qui s'avère être une part de tarte énorme qu'il déguste les yeux humides de joie. Gérald s'impatiente :
— Bon, alors ? On fait quoi, maintenant ?
Elisa, comme toujours, analyse la situation et énumère avec ses doigts.

— Un, nous sommes sûrs qu'il existe un animal extraordinaire dans les parages. Deux, il a surtout été vu entre ici et la côte de l'île d'Oléron. Trois, il pousse des cris terrifiants. Quatre, il a un long cou et nage plutôt vite.

— Il attaque les bateaux et il n'a pas d'ailes, précise Gérald en jetant un regard faussement sévère à Julien.

— Il n'est pas certain qu'il attaque les bateaux, Gégé, reprend Elisa. Il a peut-être percuté le voilier par hasard, car c'est le seul cas que l'on connaisse. Le plus souvent, il s'enfuit plutôt...

— Mouais ! Les grandes questions, c'est : d'où vient cette bête, pourquoi et comment est-elle arrivée là ?
— Elle a peut-être faim ? envisage Julien en engloutissant un joli morceau de tarte.
— Mais aussi, qu'est-ce qu'on peut faire, nous autres ? se lamente Gérald.
— Il faudrait pouvoir aller faire un tour en mer... dit Elisa. Mais comment ?
— On n'a qu'à brancher Christian, suggère Gérald. Il sera sûrement d'accord pour nous emmener en Zodiac, il est sympa.
— D'accord, allons-y ! dit Elisa, convaincue.
Sur la plate-forme de métal qui permet l'accès au fort, ils trouvent Christian en train de se préparer pour le tournage. Celui-ci s'excuse gentiment, mais il doit refuser leur proposition de promenade en mer, car il est retenu pour l'émission. Gérald insiste :
— Mais t'en as pour longtemps ?
— Au moins une heure. Il faut que j'y aille.
— T'auras assez d'essence ? demande Gérald, mine de rien.
Christian lui sourit et répond en marchant vers l'intérieur du fort :
— Tu vois bien que je suis à pied !
Elisa, déçue, fait un geste de résignation. Les deux garçons se regardent, prennent un air entendu, et Gérald avance ses deux mains

devant lui, les paumes ouvertes. Julien tape dedans en riant et lance innocemment :

— Ce qu'il nous faudrait, c'est quelque chose qui puisse nous emmener en mer...

— Eh oui ! répond Gérald sur le même ton.

Julien regarde vers le Zodiac amarré à la plate-forme en contrebas et fait mine de s'étonner :

— Oh, oh ! Mais qu'aperçois-je, là, en bas ? fait-il en insistant lourdement.

— Oh, oh ! Ne serait-ce pas justement un de ces vézicules marins ? dit Gérald en l'imitant parfaitement.

— Ah, ah ! Cher ami, n'êtes-vous pas justement un spécialiste dans le pilotage de ces vézicules ?

— Hi, hi ! Mais tout à fait, cher ami, tout à fait ! susurre Gérald.

— Eh bien, cher marquis, mais qu'attendons-nous donc ?

— Eh bien, mais... l'autorisation de Sa Majesté la reine, minaude Gérald en se tournant vers Elisa.

Son sourire devant le spectacle de ses copains s'efface soudain, remplacé par une mimique de doute.

— Vous ne pensez pas sérieusement que... nous...

— Mais si, mais si ! s'exclament les deux complices dans un bel ensemble.

Elisa croise les bras sur sa poitrine et essaie de contenir la colère qui monte en elle.
— Vous voulez me faire marcher, c'est ça ?
— Mais non, mais non ! reprennent les deux autres avec la même synchro qui les étonne eux-mêmes et provoque leurs éclats de rire. Elisa s'en trouve rassurée et rit avec eux en avouant :
— Vous m'avez bien eue, là ! Mais ce que vous étiez drôles dans votre numéro !
— Ah oui ? fait Julien. Super ! Sauf qu'on est très sérieux, en fait. Gérald peut très bien conduire le Zodiac, il l'a souvent fait.
— Stop ! coupe Elisa. Hors de question ! Le Zodiac appartient à l'équipe de l'émission, il en ont besoin et nous n'avons pas le droit de faire une chose pareille. Ce serait du vol, ni plus ni moins.
— Mais enfin, Elisa ! fait Gérald, redevenu sérieux. C'est pas du vol : on l'emprunte, le Zodiac, on va pas l'abîmer...
— Non, non et non ! Pas question, Gégé ! Je te rappelle que nous partons à la recherche d'une bête probablement dangereuse, si tu as oublié... Et que cette bête a déjà coulé un voilier de six mètres autrement plus solide que ce Zodiac en caoutchouc... Et si elle nous le coupe en deux, comment pourrons-nous expliquer cet emprunt, Gérald ?

— Pfouuu ! souffle Gérald, maussade. T'es vraiment pas marrante, Elisa... Et si... Et si... Et si elle nous dévore tout crus, on n'aura plus de problème, voilà !

— C'est le seul moyen qu'on ait, Elisa... murmure Julien calmement. Sans ça, on laisse tomber... Ils se débrouilleront bien pour le retrouver, leur monstre... On lira les détails dans le journal, ça sera super... ajoute-t-il, perfide.

Cette éventualité fait réfléchir la jeune fille et Gérald perçoit son hésitation. Il abat sa dernière carte :

— Faisons ça aux voix ! J'suis pour l'emprunt, dit-il en levant la main.

— Moi aussi ! s'écrie Gérald.

— Je dois me plier à la majorité, mais je proteste ! soupire Elisa, vaincue.

Chapitre 8
Rencontre dans la brume

Les trois amis, ne pouvant bien évidemment utiliser la nacelle pour leur « emprunt », ont attaqué la descente des piliers de la plateforme. Encordés par Elisa (exigence étrangement approuvée avec enthousiasme par Gérald), Julien étant attaché au milieu, ils ne rencontrent aucune difficulté jusqu'aux deux derniers mètres, recouverts d'algues et de mousse. Néanmoins, leurs aptitudes naturelles de souplesse et d'adresse leur permettent de se retrouver tous les trois à bord du Zodiac quelques minutes plus tard. Avec des regards de professionnel, Gérald vérifie consciencieusement le branchement d'essence, enfile le gilet de sauvetage en même temps que les deux autres et largue la petite amarre de Nylon d'un geste ample. Il saisit la pagaie d'appoint et fait habilement reculer le Zodiac pour l'éloigner du fort. Une fois parvenu dans le courant, il actionne la poignée du démarreur, faisant rugir le moteur. D'instinct, les trois complices regardent avec anxiété vers la plate-forme, craignant de voir apparaître quelqu'un qui donnerait l'alarme. La chance est avec eux, et Gérald accélère doucement, mettant le cap vers les nappes de brouillard qui enveloppent encore l'île d'Oléron.

— Tout s'est bien passé, non ? lâche-t-il avec un sourire triomphal.

Elisa fait grise mine, emmitouflée dans un gilet de sauvetage trop grand pour elle, ce qui fait sourire Gérald. Elle se méprend sur ce sourire :

— Ah, surtout, ne te fiche pas de moi, hein, Gérald ! Je te signale que nous venons de voler un bateau et qu'il n'y a pas de quoi rire ! Pas du tout !

— C'est pas pour ça que j'rigole... T'es marrante dans ton gilet, c'est tout... On dirait la sœur d'Obélix !

Julien éclate de rire à son tour et Elisa fait mine de bouder, mais en réalisant la situation, le coin de ses lèvres commence à trembloter avant qu'elle ne puisse réfréner son fou rire. Leur arrivée aux abords de la nappe de brouillard met fin aux rires et l'inquiétude revient avec le souvenir du terrible cri. Gérald ralentit la course du Zodiac tandis qu'ils pénètrent dans le brouillard. Julien se rapproche d'Elisa et se pelotonne au fond du bateau en entourant les jambes de son amie. Le bruit du moteur tournant au ralenti semble étouffé par les masses de brume.

— On va avancer jusqu'à la côte... fait Gérald pour rompre le silence. Après, on pourra la longer à vue et on fera un tour complet... La boussole fonctionne bien, ajoute-t-il pour rassurer tout le monde.

— Je crois que je n'ai pas très envie de réentendre ce cri... murmure Elisa.

— Et moi, je ne suis plus sûr d'avoir envie de croiser la bête... ajoute Julien d'une petite voix.

Gérald proteste :

— Il faudrait savoir ce que vous voulez ! On est bien venus pour ça, non ?

— Ben oui... répond Julien, mais ça va nous avancer à quoi ? On ne va pas la capturer ni l'apprivoiser, alors !

— Va savoir ! On pourrait grimper sur son dos et la ramener au fort... lance Gérald. Ce serait génial et, comme ça, tout le monde nous croirait...
Il imagine la scène avec un frisson de plaisir. Les trois petits chevauchant le monstre marin soumis à leur volonté. Les caméras, les interviews, les photos dans les journaux... La tête des potes de l'école ! Il sourit à cette plaisante idée quand le Zodiac sort du brouillard. Ils aperçoivent la côte toute proche. A cet endroit de l'île d'Oléron, le littoral est escarpé et des

falaises hautes de quelques dizaines de mètres ont été creusées par la mer.
Construites sur leur sommet, deux forteresses de pierre grise veillent sur le large. Gérald les montre du doigt.
— Ça doit être une de ces bâtisses-là, le Fort noir...
— Pourquoi l'appelle-t-on le Fort noir ? ne manque pas de demander Julien.
— Aucune idée ! Faudra se renseigner... répond Gérald.
Le fait de distinguer l'horizon et la terre ferme leur a redonné du courage. Ils aperçoivent, vers le Sud, des bateaux de plaisance au mouillage devant une crique de sable. Gérald manœuvre pour longer la côte, puis repart vers la brume.
— C'est sûrement pas par là qu'on va trouver notre bête... On va sillonner dans le brouillard, d'abord Nord-Sud, puis Est-Ouest, on verra bien.
— Il est peut-être reparti très loin, maintenant, suggère Julien, plein d'espoir.
Gérald hausse les épaules en signe d'ignorance. Elisa réfléchit à haute voix :
— Je me demande quand même ce que peut être cette bête et comment elle est arrivée jusqu'ici. D'après la gravure et ce que tu as vu, Gérald, plus les témoignages des marins,

elle a tout l'air d'un animal préhistorique. Ces espèces-là ont disparu il y a des millions d'années... C'est incroyable !
Julien propose une solution de son cru :
— Et si c'était un savant fou qui aurait construit un bateau qu'il aurait déguisé en monstre pour éloigner les curieux de son repaire sous la mer ? Genre capitaine Nemo...
— C'est ça ! ironise Gérald. Et pourquoi pas le commandant Cousteau faisant du ski nautique derrière un éléphant rose, pendant que tu y es ?
Julien imagine la scène et éclate de rire. De nouveau, le Zodiac pénètre l'épaisse zone de brume, qui s'effiloche devant la proue comme de la ouate fine. Elisa reprend sa réflexion orale d'une voix plus douce :
— Le cas le plus connu d'animal sous-marin mystérieux, c'est en Ecosse... Au loch Ness.
— Tiens, s'écrie Gérald, c'est vrai ! Emile, le capitaine de la navette, m'en a parlé ce matin. Lui, il pense que c'est un piège à touristes.
— Personne ne sait vraiment, poursuit Elisa. Certains jurent avoir vu une sorte de serpent à long cou émerger du lac. Il y a même des photos qui ont été prises. J'en ai vu à la télé. Difficile de se faire une idée, la qualité est mauvaise. Des études ont été faites par des spécialistes, avec des sous-marins équipés. Ils

ont trouvé des galeries très profondes creusées dans le fond du lac, mais rien ne dit que quelqu'un y habite.
Le Zodiac avance doucement dans une zone très épaisse, à couper au couteau. Soudain, Gérald chuchote :
— Eh ! Vous entendez ?
Ils tendent l'oreille et parviennent à distinguer un son étrange, indéfinissable, assourdi par la brume. Elisa murmure :
— On dirait comme un glissement...
Julien frissonne tandis que Gérald coupe le moteur pour mieux entendre. Le bruit est plus distinct, comme une respiration à laquelle s'ajouterait un bruit de glissade. Elisa pousse un cri en pointant le doigt :
— Oooh ! Là !
Devant eux, déchirant le brouillard, une énorme masse sombre précédée d'un long cou vient sur eux. Gérald, saisi par la peur, tombe sur le sol du Zodiac en voulant reculer. Parvenu à deux mètres d'eux, l'être se détourne brutalement pour changer de direction. Hors de la surface de l'eau, une grosse nageoire apparaît, prolongeant un corps rondouillard, et percute le Zodiac violemment. Elisa et Julien, serré contre elle, sont projetés à l'arrière de l'embarcation, qui manque de chavirer. En quelques secondes, la bête dispa-

raît, provoquant dans son sillage un remous qui submerge les boudins de caoutchouc. Gérald, emporté par la force du flot, parvient au dernier moment à agripper le cordon servant à se cramponner quand le Zodiac heurte les vagues de plein fouet. Elisa et Julien sont trempés comme des croûtons dans la soupe. Le remous cesse et le calme revient. Sans dire un mot, Gérald actionne prestement la corde du démarreur, faisant rugir le moteur. Après un coup d'œil à la boussole, il met les gaz et vire au Nord-Est. Le ronron puissant du moteur empêchant toute conversation, pas un mot n'est échangé, Elisa et Julien se contentant de s'essorer de leur mieux. En quelques minutes, ils quittent la zone de brouillard et distinguent Fort-Boyard devant eux.

Chapitre 9
Préparatifs pour un safari

En rejoignant le fort, Elisa voit tout de suite que Christian, les bras croisés, les attend sur la plate-forme. Encore sous le choc de leur rencontre, ils ne songeaient qu'au réconfort de retrouver la réalité. Mais l'idée les effleure que les vrais ennuis pourraient commencer.
— Aïe ! grimace Gérald en désignant Christian d'un signe de tête. Il n'a pas l'air content !
Il s'applique à réaliser une manœuvre impec-

cable pour faire accoster le Zodiac au pied de la plate-forme. Christian actionne la nacelle qu'ils utilisent pour remonter. Il les accueille d'un ton sec :

— Dites, quand vous avez une idée en tête, vous ne vous rongez pas les ongles, vous, au moins ! Vous auriez pu quand même m'en parler, on se serait moins inquiétés. Et vous vous baignez tout habillés, en plus ? ajoute le marin en voyant leur état.

Ne trouvant pas leurs mots, les trois voleurs de Zodiac baissent la tête, ennuyés et honteux. Christian les pousse sans ménagement vers l'entrée du fort.

— Allez, hop ! Allez vous sécher chez Fernand ! Quand même, vous y allez fort !

L'émission se déroulant dans les étages, la cour est déserte et ils parviennent à la cafétéria sans rencontrer personne. Fernand les taquine sur leur état en les faisant asseoir.

— Alors, les petits gâte-sauce, on a voulu goûter la soupe et on s'est trop penché au-dessus de la marmite ?

Christian, radouci par leurs mines penaudes, essaie d'en savoir plus :

— Alors, qu'est-ce qui vous a pris de me faire un coup pareil ?

Prenant comme toujours son rôle d'aînée au sérieux, Elisa se décide à répondre :

— Ecoute, Christian. D'abord, il faut que tu saches que tout est de ma faute. C'est moi qui ai eu l'idée de prendre le Zodiac. Après ce qui nous est arrivé ce matin, nous sommes allés voir le père Fouras pour regarder dans ses livres si une description ne correspondait pas à la « chose » que nous avions entendue. Non seulement nous en avons trouvé une, mais en plus, Gérald, avec la longue-vue du père Fouras, a réussi à apercevoir la bête. Alors, il fallait que l'on y aille, tu comprends ? Toi, tu étais occupé, le Zodiac ne servait pas, alors j'ai pensé que, pour une heure, personne ne s'en apercevrait. Je te demande pardon.
Touché par le discours de la jeune fille, Christian se racle la gorge et bredouille :
— Hmm ! Bon, bon... Ça va, n'en parlons plus ! Alors, vous avez fait quoi ?
Gérald prend un air désinvolte pour répondre sobrement :
— On a été dans le brouillard et on a vu le monstre. Il a failli nous faire chavirer !
Un énorme éclat de rire les fait sursauter. Fernand se tient le ventre en hoquetant :
— Ah, ah, ah ! Vous y allez vraiment fort, vous autres ! Quelle imagination !
— Tu ne peux pas comprendre ! laisse tomber Julien avec dédain.
Le cuisinier rit de plus belle en voyant la

mine sérieuse du garçon. Christian les observe l'un après l'autre en plissant les yeux, cherchant à comprendre s'ils se moquent de lui ou si leur histoire est vraie. Le souvenir du cri entendu le matin le fait pencher vers la seconde solution.

— Vous l'avez vraiment vu ? Alors, à quoi est-ce que ça ressemble ?

Gérald se lance dans une description précise de la bête et de leur rencontre avec elle qui laisse Christian songeur.

— C'est dingue ! souffle-t-il, hésitant encore à croire le garçon.

— Ouais, c'est dingue... concède Gérald, et il ajoute : je tiens à dire aussi que ce n'est pas du tout Elisa qui a voulu emprunter le Zodiac, mais nous deux. Elisa, au contraire, ne voulait pas et on l'a obligée. C'est vrai, Juju, ou pas ?
Julien, un peu penaud, fait oui de la tête et Christian les regarde alternativement, mi-sévère, mi-amusé. Riant toujours, Fernand s'absente un moment. Après un rapide regard de connivence entre eux, l'aînée tente de convaincre le marin aux longs cheveux :
— Maintenant que tu nous crois, Christian, je pense qu'il faudrait retourner sur place avec toi pour faire des photos tout en prenant certaines précautions. Qu'en penses-tu ?
— D'abord, est-ce que tu es libre maintenant ? interrompt Gérald.
— Ben... oui, mais... fait-il, hésitant.
Julien ne lui laisse pas plus de temps.
— Alors, on y va ! T'as un appareil ?
Le marin dit oui de la tête et se décide finalement à partir à l'aventure avec ces trois gamins délurés. Ils quittent la cantine et se retrouvent sur la plate-forme, où Christian récupère son sac, dont il extrait un appareil photo dernier modèle, qu'il met en bandoulière. Gérald claque des doigts en s'écriant soudain :
— Eh ! Et si on emportait des trucs pour

plonger... genre masques, tubas, palmes, et tout ça ? Ça sera peut-être utile. T'en as ?
Christian répond affirmativement et s'absente quelques instants avant de revenir, chargé des instruments souhaités par Gérald. Ils descendent dans le Zodiac, enfilent les gilets de sauvetage et larguent les amarres de Nylon. Faisant route à allure modérée vers la côte d'Oléron, ils constatent que les nappes de brouillard, devant eux, sont toujours présentes, même si la température de début d'après-midi en a un peu diminué la surface. Dès qu'ils pénètrent dans la purée de pois, Christian ralentit encore et le Zodiac glisse doucement dans l'épaisseur ouatée. Les quatre aventuriers prévoient des dispositions en cas de rencontre soudaine.
— Surtout, accrochez-vous bien solidement aux lanières de côté ! conseille Elisa en montrant l'exemple.
Autour de ses poignets, elle enroule les petits bouts de corde en Nylon qui sont rattachés aux gros boudins de caoutchouc formant la structure du Zodiac.
— Christian, si tu veux, j'peux faire les photos, moi ! lance Gérald, plein d'espoir. Comme ça, tu peux continuer à piloter le bateau et moi je me tiens prêt.
En souriant, Christian lui lance l'étui, qu'il

attrape habilement. Avec un sifflement d'admiration et de plaisir, il dégage le magnifique appareil.
— Pfiouu ! Ça, c'est du matos ! fait-il, ravi, avant de coller l'œil au viseur.
D'un geste de pro, il effectue les quelques réglages indispensables et lance fièrement :
— Y peut se pointer, le monstre ! On va lui tirer le portrait mieux qu'un Photomaton !
Julien en profite pour se ravitailler un peu et Elisa fronce les sourcils en demandant :
— Dis, Gégé, qui t'avait parlé du Fort noir, ce matin, au café du port ?
— Ben... un des pêcheurs. Il disait qu'il y avait un bateau qui faisait sauter des fonds sous-marins juste en face, depuis quelques jours... Pour y installer une plate-forme de forage, j'crois...
— Et tu as une idée de l'endroit ?
— Oh oui, on a dû passer pas loin tout à l'heure, quand on tournait, puisqu'on a vu le fort !
Elisa prend l'air pensif, une mimique de réflexion caractéristique sur son visage. Curieux, Julien, qui connaît son Elisa sur le bout des doigts, l'interroge en terminant son quatre-heures :
— A quoi tu penses, Elisa ?
— Je me demandais encore comment cette

bête avait pu apparaître par ici, et je me dis que, peut-être, s'il fallait plonger quelque part, ce serait dans ces parages-là.
Gérald ne paraît pas convaincu :
— J'vois pas comment il pourrait y avoir un rapport... Et puis ça doit être très profond, là, en bas... ajoute-t-il en se penchant pour observer l'eau.
Les deux autres se tournent vers Christian, l'air interrogateur.
— Je connais bien les fonds par ici et j'ai entendu parler de cette plate-forme de forage. Ils doivent l'installer sur des hauts-fonds, effectivement au large du Fort noir. On y arrive... D'ailleurs, on voit mieux la côte maintenant... répond Christian tandis que le Zodiac émerge de la brume.

Chapitre 10
Repérages sous-marins

A environ deux cents mètres des falaises de la côte ouest de l'île d'Oléron, le Zodiac est sorti du brouillard, faisant disparaître chez ses occupants la sensation étrange d'oppression et de mystère causée par les sons étouffés. Ils reconnaissent le bâtiment de pierre qui surplombe la falaise. Julien pousse un soupir de soulagement :

— Pfouu ! Moi, j'suis content qu'on ne l'ait pas vu ce coup-là.

— Pas moi, fait Gérald en brandissant le Nikon qu'il tenait prêt. J'aurais eu le scoop de l'année... J'espère qu'on va le retrouver, cet animal, parce que sinon...
— Sinon... enchaîne Julien, c'est vrai qu'on aura du mal à faire passer l'histoire dans la cour de récré...
— Alors qu'une bonne photo, dans le journal, avec le nom du photographe... fait Gérald, songeur.
Elisa rit en voyant l'air extasié de son ami, en plein rêve de gloire. Christian les ramène à la réalité :
— Bon, alors, qu'est-ce vous voulez faire, là ? C'est à peu près par ici que les tirs de forage ont dû être faits.
— C'est profond ? demande Elisa.
— On va se renseigner, répond Christian.
Il prend dans le fond du bateau une longue corde prolongée d'une petite ancre d'acier à quatre facettes rétractables qu'il plonge dans l'eau. Quelques secondes, et la corde mollit entre ses doigts.
— Environ sept mètres...
— On peut plonger ! affirme Gérald, et il enlève aussitôt son gilet de sauvetage.
Elisa calme un peu son ardeur :
— Une seconde, Gégé ! Tu ne vas pas te jeter à l'eau comme ça, sans précaution !

Christian jette son ancre et accroche l'autre extrémité de la corde à un anneau providentiel en tête du Zodiac, qui s'immobilise. Elisa sort de son petit sac-banane qu'elle porte en ceinturon sa fameuse pelote de ficelle, qu'elle attache solidement à une cheville de Gérald. Par-dessus son épaule, il jette un coup d'œil vers Julien, hilare, et lève les yeux au ciel. Elisa n'en prend pas ombrage.
— Je sais, je sais, Gérald, c'est une manie chez moi, mais je préfère te savoir relié à nous. Cela me rassure, tu comprends ? Imagine qu'il arrive quelque chose...
— Imagine que la bête me confonde avec un rosbif... fait Gérald, ironique.
Elisa hausse les épaules et Christian intervient :
— Je vais plonger à côté de lui, de toute façon... Il vaut mieux être deux quand on fait de la plongée.
Gérald choisit soigneusement un attirail à sa taille et le grand et le plus jeune s'entraident pour chausser palmes, masques et tubas. Assis sur le rebord du Zodiac, ils lèvent le pouce pour signaler qu'ils sont prêts et se laissent glisser dans l'eau. Tout de suite, Gérald se met à nager un crawl élégant en tournant autour du bateau, avec Christian dans son sillage. Un peu inquiète, Elisa les suit du

regard tandis que Julien déplie religieusement son sac de réserves contenant encore un nombre incroyable de croissants. Par instants, Gérald plonge, ses palmes fouettant l'air avant de s'enfoncer dans l'eau, et le garçon réapparaît quelques longues secondes plus tard en crachant un panache d'eau par le tuba flexible. Presque instinctivement, Élisa chronomètre dans sa tête les moments où il s'enfonce, égrenant les secondes et se mordillant nerveusement les lèvres quand son ami dépasse les trente. Elle laisse filer de ses doigts la cordelette de Nylon de quarante

mètres en évaluant régulièrement sa diminution. Julien, qui évacue le stress en se régalant, se veut rassurant :
— Te mine pas, Elisa ! Tu sais bien qu'il est solide, cet animal. Tiens, tu veux un petit croissant ? ajoute-t-il généreusement.
Elle refuse d'un signe de tête sans quitter les plongeurs des yeux.
Gérald et Christian, de leur côté, se sont sensiblement éloignés du Zodiac et poursuivent leur exploration. Gérald est aux anges. L'eau n'est pas trop froide et le fond est assez clair, parfois sablonneux avec des sillons inégaux, et parfois pierreux avec des algues vertes et bleues parmi lesquelles de petits poissons de roche jouent à cache-cache. Après quelques plongées, plus destinées à montrer à ses compagnons ses exceptionnelles dispositions que vraiment nécessaires, Gérald s'éloigne vers le large, toujours suivi comme son ombre par son ange gardien. Par moments, il relève la tête et ôte l'embout du tuba pour s'entretenir avec Christian sur la suite de leur exploration ou pour faire une remarque amusée :
— T'as vu la grosse sole qui s'est cachée sous le sable ? souffle-t-il à son compagnon, qui approuve en souriant à travers son masque.
Ils reprennent leur progression, se dirigeant

doucement vers le brouillard. Au bout d'un moment, ils se font des signes de la main et rebroussent chemin directement vers le Zodiac, le rejoignant rapidement à grands coups de palmes. Tandis qu'Elisa tend une paire de serviettes aux deux plongeurs remontés à bord, Gérald ne peut contenir son excitation :

— Y'a un trou plus profond là-bas ! dit-il, tout essoufflé, en désignant le brouillard. J'pouvais pas y aller à cause de ta fichue ficelle, Elisa... et y'a plein de cailloux et de bouts de rochers éparpillés dans tous les coins !

Christian confirme et ajoute :

— C'est sûrement là qu'ils ont tiré des mines pour le forage. Les algues n'ont pas encore recouvert les rochers.

— Faut aller voir ! clame Gérald en dénouant la ficelle, qu'Elisa rembobine soigneusement. Christian lève la petite ancre et remet le moteur en route pour aller se fixer de nouveau à l'extrême limite du brouillard. Le même cérémonial des préparatifs se renouvelle, sans oublier la cordelette d'Elisa, et les plongeurs retournent à l'eau. Tout de suite, Gérald regarde le fond et s'exclame :

— On voit des gros blocs de rochers sans algues, dit-il en enlevant son tuba.

Et il replonge la tête en oubliant de le remettre, avant de se débattre et de cracher :
— Teuh, euuh, euh ! Zut et zut ! Quel c...rétin ! J'en ai... avalé un litre...
Il se reprend pour clamer, tout excité :
— Le trou est par là, tout près... pas trop profond...
Et il prend la peine de vérifier que l'embout est bien à sa place avant de faire signe à Christian. Ils nagent doucement vers l'endroit indiqué par Gérald. A bord, Elisa a repris sa position et son déroulage méticuleux, et Julien s'intéresse au moteur, dont il a ôté le capot. Elisa le met en garde :
— N'abîme rien, Juju, hein !
— Enfin, Elisa, tu me connais, non ? répond-il d'un ton de reproche.
Plus loin, du côté des plongeurs, le ballet successif des têtes masquées et des palmes giflant la surface de l'eau se poursuit, jusqu'à ce que la voix de Gérald résonne :
— Elisa ! Y'a un grand trou dans le sol de la mer !
La jeune fille sourit mentalement du terme employé par Gérald et observe attentivement leur manège, qui continue. Après quelques instants, Gérald comble seul la trentaine de mètres qui le séparent du Zodiac pour donner plus d'explications à ses deux amis :

— Y'a un trou énorme parmi des blocs de pierre... Comme un trou au fond d'un autre trou ! Mais c'est beaucoup trop profond ! Christian essaie d'aller voir, il peut descendre plus bas que moi, lui... explique le garçon aux taches de rousseur, tout excité.
Elisa grogne, car sa ficelle est emmêlée dans les palmes de Gérald :
— Remonte, Gégé ! Tu entortilles mon fil !
Gérald remonte prestement sur le bateau et observe le tuba de Christian qui disparaît par moments pour un temps qui lui paraît une éternité.
— Quel coffre il a, ce type, pour rester aussi longtemps ! Y'a bien vingt, vingt-cinq mètres de fond, à cet endroit. Il faut pouvoir y aller ! Tiens, il revient !
Effectivement, Christian revient très vite vers eux, provoquant bouillonnement et éclaboussures, avant de sauter à bord et de lâcher d'une voix blanche :
— Votre monstre, il est là ! Je l'ai vu !

Chapitre 11
Le monstre est affamé

Un peu pâle, Christian vient d'arracher son masque, laissant voir les grosses traces des élastiques qui strient son visage. A leur tour, Elisa, Gérald et Julien doutent un instant de la révélation que vient de leur faire leur copain.
— Non ? ! glapit Gérald, stupéfait.
Le marin insiste en s'essuyant les cheveux avec la serviette tendue par Elisa :
— Si, si ! Je l'ai vu ! Et je peux vous dire qu'il est gros et que je n'ai aucune envie de

passer la journée avec ! Filons ! ajoute-t-il en tirant le démarreur.

Mais Julien l'ayant un peu « bidouillé juste pour voir », la poignée est débranchée et le moteur refuse logiquement de s'exécuter. Avec un cri de rage, Christian s'échine sur la cordelette alors que d'étonnants bouillonnements semblent cerner le bateau. Terrifié, Julien s'est jeté à terre tandis qu'Elisa se cramponne où elle peut. Soudain, après un choc sourd, le Zodiac se met à pencher comme s'il était soulevé au-dessus de l'eau, en menaçant de chavirer. Tous, Christian compris, poussent un nouveau cri d'angoisse et, instinctivement, se jettent du côté opposé, réussissant ainsi à le stabiliser. Un immense cou surmonté d'une longue tête apparaît juste au-dessus d'eux. Une grosse paire d'yeux globuleux, à moitié couverts par de lourdes paupières, les fixe d'un regard endormi. La bête est là, devant eux, au-dessus d'eux, la peau recouverte d'écailles luisantes d'un vert aux reflets jaunâtres, le cou hérissé de crêtes irrégulières, et son immense gueule béante dévoilant une multitude de dents semblables aux fanons des baleines.

Les occupants du Zodiac, pétrifiés, incapables d'esquisser le moindre geste, restent un long moment à contempler avec horreur l'animal surgi de la nuit des temps. De son côté, le monstre observe avec curiosité ces étranges petits êtres vivants assis au fond de leur bateau de caoutchouc. De grosses narines palpitent au bout de son museau entrouvert, et il approche sa tête en clignant des paupières. Dans un élan instinctif de survie, Julien prend l'horrible décision de sacrifier ses ultimes provisions en échange de sa vie. Il jette ce qui lui reste de croissants, une bonne demi-douzaine, dans la gueule entrouverte. Surprise, la bête relève la tête, claque ses mâchoires gigantesques et avale d'un trait les précieuses friandises. Ses gros yeux s'ouvrent alors franchement, comme si le goût de ces choses nouvelles, inconnues de son époque, lui procurait surprise et satisfaction. L'animal rabaisse alors la tête, l'approche de Julien, et doucement, museau fermé, pousse le gamin comme un chien qui réclame un biscuit. Elisa réagit aussitôt :

— Julien ! Il en veut encore ! Donne-lui tout ce que tu as !

— Mais... j'ai plus rien ! s'exclame Julien, désolé et presque amusé.

— Trouve quelque chose ! Vite ! insiste Elisa.

Le petit cherche fébrilement dans son sac la poche secrète qu'il utilise en dernier recours, lorsque tout a été avalé. La grosse bête continue à le solliciter délicatement, presque timidement. Julien finit par éclater de rire :

— Hi, hi, hi ! Il me chatouille ! bredouille-t-il.

Puis il brandit fièrement une demi-baguette fourrée de confiture de framboise et entourée de papier plastique. A peine le temps d'arracher l'enveloppe que l'énorme animal lui attrape le sandwich des mains et l'engloutit. Puis il revient à la charge. Christian et Gérald ont repris leurs esprits et, pendant que le premier répare le moteur, le second s'empare de l'appareil photo et appuie sur la détente. Un grand flash est libéré, qui étonne la bête. Elle pousse un gros cri et s'enfonce dans l'eau, provoquant un énorme remous.

Miraculeusement, Gérald évite le bain fatal pour l'appareil et son précieux contenu, tandis que Julien, rouge de colère, le réprimande furieusement :

— Mais enfin, Gérald, t'es dingue ! T'aurais pu te douter qu'un flash lui ferait peur !

— J'ai la photo ! J'ai la photo ! jubile Gérald, hagard, en regardant le petit d'un air absent.

Elisa reprend ses esprits.

— Vous avez vu ? Non mais, vous avez vu ou pas ? Il a eu l'air d'aimer ce que Julien lui a donné ! C'est insensé !

— Pas du tout ! lâche le petit, plus du tout impressionné. C'est une bête qui s'y connaît en bonnes choses, c'est tout. Ça prouve qu'il a du goût, lui, au moins.

Le bruit du moteur qui rugit interrompt leurs commentaires. Christian émet une grimace satisfaite en disant :

— Ouf, ça marche ! Mettez vos gilets, on rentre ! Ça suffit pour aujourd'hui !

Et sans plus attendre qu'ils aient terminé d'enfiler les brassières de sécurité, il tourne la barre vers le Nord-Ouest et met les gaz. Elisa est encore stupéfaite de la réaction de la bête.

— Tu as vu, Christian ? Il a quémandé à Julien comme mon chien Marlou réclame un biscuit pendant le goûter !
Christian secoue ses longs cheveux en signe de compréhension, mais Julien intervient :
— Et bien élevé, avec ça... Délicat et tout... Du bout des lèvres... Sûrement quelqu'un de bien, ce monstre, juge Julien avec admiration.
Gérald, sans mot dire, serre amoureusement contre son cœur le Nikon renfermant la photo qui fera sa gloire à jamais. Christian, attentif à la traversée du brouillard, remarque un peu nerveusement :
— Mais enfin, vous êtes quand même un peu secoués, vous trois ! Vous vous rendez compte de ce qu'on vient de voir, le... le... la bête, là... bégaie-t-il avant de continuer : c'est un truc monstrueux, ça... Ça vient d'un autre monde ou d'une autre planète... C'est Alien, quoi !
— Mais pas du tout ! intervient Elisa. C'est certainement un animal très ancien qui vivait dans une caverne inondée sous la mer et qui a été libéré par les tirs du forage. On a dû crever le toit de sa caverne et alors il est sorti, et il est curieux de voir comment est la vie maintenant.
— C'est sûrement ça, Elisa, et je l'ai en photo ! conclut Gérald avec un sourire béat qui agace Julien.

— On le saura !
Pensif, Christian semble beaucoup plus impressionné que les trois petits et il secoue la tête, abasourdi.
— Quand même, c'est pas possible, ce qu'on vient de vivre... On est en plein délire... Sans compter qu'il va falloir prévenir les autorités sans tarder.
— Oui, c'est vrai, admet Elisa, mais je ne suis pas pas sûre que ce soit une bonne chose de se précipiter. C'est qu'il a vraiment l'air inoffensif, ce monstre. Et le pauvre, s'ils apprennent son existence, ils risquent de le capturer ou même de le tuer !
Julien paraît prendre très à cœur le sort de cet amateur de croissants. Réalisant le sort promis à la bête, il affirme avec force :
— Mais alors ce serait affreux ! Moi, je ne veux pas qu'on lui fasse du mal. On a partagé mon quatre-heures, donc c'est mon copain, c'est tout.
— D'un autre côté, réfléchit Gérald, si on ne dit rien, ils vont finir par le trouver. Le brouillard ne va pas durer tout l'été... Comment faire, Elisa ? T'aurais pas une idée ?
Elisa cherche sans répondre une solution pour le sauvetage de leur nouvel ami. Tout en pilotant le Zodiac à allure rapide, Christian tente de les ramener à la raison des grandes personnes en faisant des suppositions :

— Et s'il n'était pas si inoffensif que ça ? Vous êtes peut-être bien tombé, il avait peut-être déjà déjeuné et il s'est juste tapé un petit quatre-heures... Il mange peut-être des humains quand il a vraiment faim, gros comme il est...
Julien l'interrompt pour affirmer d'un ton sec :
— On voit bien que tu n'y connais rien, en monstres ! T'as pas vu les yeux gentils qu'il avait ? Et puis quelqu'un qui aime les croissants est forcément quelqu'un de sympa, tu devrais le savoir...
— Nous allons le remettre dans son trou, décide Elisa, sûre de son fait.

Chapitre 12
La pêche au gros

Christian et les trois amis se retrouvent sur la plate-forme de l'entrée de Fort-Boyard. Tout de même un peu secoués par ce qu'ils viennent de vivre, Elisa, Gérald et Julien demandent à Christian de jurer de n'en parler à personne pour l'instant, ce qu'il fait bien volontiers en songeant à la crise de rires qu'il risquerait de déclencher. Les trois plus jeunes décident de trouver un endroit pour réfléchir calmement sur les choses à faire et le grand retourne à ses occupations après un sourire complice et un regard incrédule vers la nappe de brouillard. Il emporte aussi son Nikon avec la promesse d'offrir, plus tard, la pellicule à Gérald. Dans le fort, où l'émission bat son plein, les candidats sont aux prises avec les énigmes permettant de connaître le mot qui ouvrira la porte du trésor. Tout le monde est affairé et les trois découvreurs de monstre n'attirent l'attention de personne, sinon celle de Félindra, à l'intérieur des grilles, debout près de ses tigresses. La sculpturale dompteuse les accueille gentiment :

— Alors, les petits amis, vous passez une bonne journée ?

Tous trois répondent joyeusement et la conversation s'engage :

— Vous voulez venir voir mes monstres ? demande Félindra en désignant les trois masses striées de jaune et noir.

Gérald répond du tac au tac :

— Oh, vous savez, nous, les monstres, on s'en méfie ! Surtout des gros, comme ceux-là !

Et il fait un clin d'œil aux deux autres. Julien demande :

— Dites, Félindra, est-ce qu'ils aiment les croissants, vos tigres ?

— Oh, je ne sais pas, fait-elle en souriant,

mais je doute que cela leur suffise ! Ils ont besoin de beaucoup de viande, tu sais, sinon ils peuvent devenir dangereux. Mais enfin, un croissant ou deux pourraient leur faire plaisir, ajoute-t-elle pour le rassurer.

— J'en ai plus, j'ai été pillé ! constate Julien, désolé.

Ils rient et prennent congé après un signe amical. Dans la cour intérieure, des assistants munis de talkies-walkies courent en tous sens afin de préparer les séquences suivantes. Elisa, Gérald et Julien cherchent un coin tranquille pour tenir conseil. Curieusement, Julien refuse la cafétéria :

— Fernand s'est trop fichu de nous, tout à l'heure. S'il recommence, ça va m'énerver.

— Pourtant, tu pourrais recharger tes réserves, argumente Gérald, et c'est le seul endroit où on ne risque pas de déranger le tournage...

Julien se laisse surtout convaincre par la première solution et ils retrouvent Fernand en plein inventaire. Il rit en les voyant arriver et leur lance :

— Tiens, vous revoilà, vous ! Les visionnaires ! Ah, ah, ah ! Quelle équipe ! Vous allez bien me manger un petit quelque chose ?

Julien, qui faisait mine de s'énerver, se radoucit aussitôt et accepte avec un grand sourire

l'immense tarte que le cuisinier dépose devant eux. Il les laisse se régaler pour vaquer à ses affaires, et Elisa entame les débats :
— Bien ! Réfléchissons ! Soit nous allons prévenir les autorités, soit nous ne disons rien... Ou encore nous intervenons...
— Tu disais qu'on allait le remettre dans son trou... coupe Gérald en parcourant machinalement du doigt la petite cicatrice qui barre sa joue. T'as une idée ou quoi ?
Elisa hoche la tête, faisant tressauter sa queue de cheval blonde, et répond affirmativement :
— Je crois. S'il a vécu aussi longtemps dans

sa caverne, c'est qu'il y a trouvé ce qu'il lui faut pour se nourrir. Donc, il faut l'y remettre et l'enfermer pour qu'il n'en sorte plus et il continuera à subsister comme avant, sans déranger personne ni être dérangé. Qu'en pensez-vous ?

— C'est super ! assure Gérald. Mais comment tu comptes t'y prendre, Elisa ? On va quand même pas lui dire « à la niche ! » comme à Marlou !

— Bien sûr que non, Gégé ! Tu m'as dit qu'il y avait plein de gros rochers soufflés par l'explosion, tout autour de la caverne. Il faudrait pouvoir les remettre où ils étaient et obstruer l'ouverture.

— Une paille ! constate Gérald. Non mais, tu nous vois pousser des rochers de deux, trois tonnes, comme ça, sous l'eau ? Et puis comment on va le faire rentrer dans son trou s'il n'en a pas envie, hein ?

— Les croissants ! s'écrie Julien.

— Quoi, les croissants ?

— Ben oui, les croissants, on sait qu'il en raffole... Alors, on en apporte un stock et on l'attire avec...

— Bouf ! Tu rigoles, ou quoi ? fait Gérald en haussant les épaules. Et pourquoi pas lui apprendre à lire et lui faire un panneau « retourne chez toi ! » pendant que tu y es !

Mais c'est pas le pire. Le pire, c'est comment reboucher le trou. C'est impossible !
Le défaitisme de Gérald devant la tâche délicate qui les attend semble gagner les deux autres. Pourtant, Elisa continue de penser à haute voix :
— Il faudrait pouvoir tirer des rochers... à quinze mètres sous l'eau... Il doit bien exister des choses pour faire cela, tout de même...
— Un bateau-grue ! s'exclame Julien en claquant des doigts. J'en ai vu un à Fouras, ce matin, ancré dans la rade...
Elisa regarde Gérald pour prendre son avis de fils de marin. Il fait une moue incrédule :
— Mouais... Faudrait voir ! J'm'en souviens, de ce bateau... J'sais pas s'il est assez costaud pour tirer des pierres sous l'eau.
— Moi, je suis sûr que si ! affirme Julien, provoquant une moue de doute chez Gérald.
Elisa explore les possibilités :
— En imaginant que l'on puisse se servir de ce bateau, comment faire ? Utiliser des cordes solides, entourer les blocs de rocher avec et les traîner jusqu'à l'ouverture ?
— Faut un moteur drôlement balèze, affirme Gérald, sinon on va se retrouver le nez en l'air et les fesses dans l'eau !
— Et comment est-ce qu'on va faire pour s'en servir, de ce bateau ? demande Julien. Vous pensez à un emprunt, style Zodiac ?

— Non, non, assure Elisa. Cette fois, fini, les emprunts. On demande au propriétaire de nous emmener et...
Elle s'interrompt en envisageant le côté embarrassant de la démarche. Gérald ne manque d'ailleurs pas de persifler :
— Et on lui dit : « M'sieur, on doit boucher le trou du monstre vite fait, et on voudrait que vous nous accompagniez pour déplacer dix ou douze tonnes de petits cailloux d'ici à ce soir ! J'me demande si y'a pas un risque qu'il appelle l'asile, ajoute-t-il, faussement songeur.
Elisa ricane :
— Hin, hin, c'est malin ! Il doit quand même bien y avoir un moyen de le convaincre de nous prêter son...
— Prêter ! bêle Gérald. T'as déjà vu un marin prêter son navire à une bande de gamins comme nous, juste pour faire plaisir ! Non, Elisa, je crois que tu te fais des idées... A mon avis, y'a que l'emprunt qui pourrait marcher, c'est tout.
Elisa se voit obligée d'admettre que son ami a raison, mais son côté lutteur reprend le dessus et elle décide :
— Ecoutez, nous verrons bien ! Ce qu'il faut, c'est aller voir sur place. Peut-être qu'une idée nous viendra.

— Il faut demander à Christian de nous accompagner à Fouras et récupérer le matériel pour plonger, suggère Gérald.
— Alors, allons-y ! admet Elisa.
— Il faut aussi faire des provisions de croissants pour attirer notre copain... affirme Julien. Je vais voir ça avec Fernand, il doit bien lui en rester !
— On se retrouve sur la plate-forme !
Ils se lèvent au moment précis où Fernand revient. Les deux autres partent à la recherche de Christian. Julien prend l'air piteux en massant son bedon dodu :
— J'sais pas ce que j'ai, moi... J'ai une de ces faims de croissants !
— Ah, monsieur le grincheux est revenu à une meilleure humeur ! Monsieur a besoin de son ami Fernand, hein ! Allez, va ! Il m'en reste encore, des croissants...
— Bon ! Il m'en faudrait une trentaine !

Chapitre 13
Le remorqueur

Elisa, Gérald et Julien sont seuls dans le Zodiac, en route vers Fouras. Le temps est assez clair et ils constatent que le brouillard est en train de se lever vers l'île d'Oléron. Gérald fait part de son inquiétude :
— Manquerait plus que ça se lève complètement ! Et qu'on voie l'autre en train de se balader tranquille !
— Je crois qu'il se cacherait dans l'eau, fait Elisa en souhaitant très fort ce qu'elle avance.

Julien, lui, est à la tête d'un volumineux colis contenant un nombre incroyable de croissants offerts par Fernand sous le prétexte plausible, selon Julien, d'un départ pour la « pêche au gros ». Le garçon n'hésite d'ailleurs pas à vérifier lui-même la qualité de l'appât. Gérald s'exclame :

— N'empêche, il est drôlement cool, Christian, de nous avoir prêté le Zodiac !

— Il a dû comprendre qu'il valait mieux un prêt que le genre d'emprunt de ce matin... assure Elisa avec un soupçon de reproche.

Grâce au temps dégagé, ils rejoignent rapidement le port et ils se dirigent vers la barge de transport surmontée de sa grue quand Julien remarque :

— Vous avez vu tout le monde qu'il y a sur le quai ?

Effectivement, un attroupement composé d'une vingtaine de personnes, des gendarmes, des pêcheurs, des « civils », s'active avec frénésie. La discussion paraît animée, car beaucoup font de grands gestes en direction de l'île d'Oléron. Les trois boucheurs de caverne décident d'aller amarrer le Zodiac devant eux pour en apprendre un peu plus. Après une manœuvre parfaite de Gérald, ils sautent souplement sur le quai. Outre les gendarmes, ils reconnaissent quelques marins pêcheurs déjà aperçus, Riri dans son attitude habituelle, les pouces dans les bretelles, le maire en costume de ville et quelques habitants auxquels se sont joints des badauds. Personne ne leur accorde la moindre attention et, dans la conversation qu'ils entendent, il apparaît que plusieurs nouveaux témoins assurent avoir vu une créature extraordinaire devant Oléron, fait hautement confirmé par Riri, qui demande avec force que soient avertis les journaux et la télé. Les gendarmes proposent d'aller y faire une inspection avec les gardes-côtes et le maire envisage d'en référer à la préfecture afin « qu'ils prennent la décision qui s'impose » si l'on devait constater la présence réelle de la bête décrite par les témoins.

— Et la décision, c'est de la zigouiller ! crache Gérald entre ses dents.

D'un froncement de sourcils, les yeux agrandis, Elisa l'incite à se taire et entraîne ses deux amis à l'écart de la conversation.

— Vous avez entendu ? S'ils s'en mêlent, notre ami est fichu ! Il faut faire absolument quelque chose, et maintenant ! Pour la barge, tu as une idée, Gérald ?

— Ouais ! On la pique et on la ramène une fois le boulot fait. On laisse le Zodiac au corps mort où elle est amarrée avec un mot dedans, du genre : « Ne vous tracassez pas, on revient... » Le seul problème, c'est de ne pas se faire voir... Ça ne va pas être de la tarte !

— Tant pis, il faut y aller ! fait Elisa, convaincue, avant d'ajouter d'un air pincé : je préfère quand même que tu dises « emprunter », Gérald.

Il hausse les épaules, ne voyant pas de différence majeure entre les deux actions, et enchaîne, l'air angélique :

— Si tu préfères, on peut se renseigner sur le propriétaire et aller lui demander de lui louer son engin pour un jour ou deux...

— Faudrait connaître son nom... intervient

Julien et, se tournant vers un des pêcheurs, il demande, exagérant son ton bébé : c'est à qui qu'il est le zoli bateau avec une grue, là-bas, s'il vous plaît, m'sieur ?
L'homme regarde dans la direction désignée et s'esclaffe :
— Oh, le treuil ? C'est au grand Lucien, ça... Lucien Terrandon, de son vrai nom, mon bon homme... Il est beau, hein ?
— Oh oui, m'sieur ! Et il marche quand ?
— Ah, ah ! fait l'homme, goguenard. A c't'heure-là, c'est rare qu'il marche, comme tu dis... Le Lucien, y doit être en train de faire sa petite belote, comme tous les jours que Dieu fait !
Julien tourne vers ses amis un sourire radieux et implore en geignant :
— Je veux aller voir le beau bateau ! Je veux aller voir le beau bateau ! Emmenez-moi voir le b...
— C'est ça, on y va !
En le fusillant du regard, Gérald le tire par le bras et l'entraîne vers le Zodiac, sous les yeux amusés d'Elisa. Gérald secoue le cadet, qui fait mine de se mettre à pleurer.
— Mais t'es dingue, ou quoi ? Tu veux nous faire repérer ?
— Ouinnn ! J'veux voir le bateau avec la grue !

Le pêcheur qui les a renseignés s'approche et propose gentiment :
— J'ai vu que vous étiez en Zodiac. Vous n'avez qu'à l'amener à bord, le petit. Personne ne vous dira rien...
Ils remercient d'un signe de tête et tirent le gamin pleurnichard vers leur Zodiac. En repassant à proximité du groupe des gendarmes et du maire, une remarque de ce dernier leur vient aux oreilles :
— De toute façon, je préfère qu'on fasse toutes les recherches demain. Il est un peu trop tard pour lancer une patrouille et le brouillard sera levé complètement.
Les amarres larguées, Elisa rit en félicitant Julien pour ses talents de comédien. Gérald renchérit, ironique :
— Ah, ça, pour faire le débile, t'en connais un rayon !
— Ouais, mais grâce à moi, on a la permission de monter sur le bateau... Une fois dessus, l'emprunt sera plus facile... On inventera un truc...
— Tu es vraiment un drôle de diable ! constate Elisa, l'air sévère, mais les yeux rieurs.
Gérald fait avancer doucement leur embarcation en direction de la barge de remorquage et coupe le moteur avant de se ranger contre la

coque. Souplement, il parvient à se hisser à bord, tenant entre ses dents une amarre qu'il attache solidement à un taquet de métal. Il aide ses deux compagnons à transborder leurs affaires, appâts inclus, et ils se retrouvent dans le poste de pilotage. D'un œil connaisseur, Gérald évalue les divers boutons et manettes qui composent le tableau de bord.

— Ça devrait aller ! lâche-t-il sobrement. Ça, c'est le contact... Là, le coupe-circuit pour le treuil... Bon, ça, c'est les gaz... Deux manettes, deux moteurs, il doit y avoir de quoi mettre la gomme, note-t-il avec plaisir.

— On va démarrer comment ? demande Julien. On n'a pas la clé.

— Le vrai problème est là. Il faudrait tripoter un peu le démarreur, mais je ne sais pas si Elisa va vouloir... C'est un genre d'effraction, ça !

Sans répondre, Elisa se met à ausculter l'orifice prévu pour une clé et ses environs immédiats. Sous les yeux un peu étonnés de ses deux compères, elle sort de sa banane un petit morceau de fil de fer qu'elle insère dans la serrure du contact et, après quelques secondes de bricolage, le voyant rouge s'allume. Gérald appuie sur un bouton et le démarreur active les hélices dans un bouillonnement rageur. Gérald esquisse une courbette devant son aînée.

— Chapeau ! Que Sa Majesté me pardonne, mais son sens de l'emprunt dépasse de beaucoup celui de ses misérables sujets !
Et Julien imite son ami. Puis Gérald se lance dans une fouille systématique du bateau et trouve son bonheur en poussant des cris de joie. Il appelle les autres :
— Venez voir, c'est génial ! Des grosses cordes avec des anneaux métalliques et des chaînes ! Tout ce dont on a besoin pour ce qu'on veut faire ! Ça doit être un signe, ça, non ? Allez, en route ! Je m'occupe du Zodiac !
Il revient au Zodiac et manœuvre pour venir l'attacher au corps mort et dénouer l'amarre de la barge. Prestement, il rejoint les autres sur le remorqueur et se place debout derrière la barre en bois verni. Il actionne une des deux manettes, le moteur monte en régime et la barge glisse doucement sur l'eau.

Chapitre 14
Préhistor

Le remorqueur, piloté par Gérald, a quitté la rade du port de la Fumée et s'avance en haute mer vers l'île d'Oléron. Avec sa haute proue recouverte d'un pneu usé par le frottement, son poste de pilotage posé droit au milieu et sa poupe toute plate surmontée d'un gros treuil, l'étrange embarcation est pourtant conçue pour naviguer très correctement.

— Y'a même un compas, on va pouvoir se repérer au poil ! jubile Gérald, qui jubile de jouer au timonier tandis qu'Elisa jette des coups d'œil craintifs derrière eux.

L'appréhension d'avoir été vus et l'inquiétude d'être poursuivis disparaissent bientôt et ils se concentrent en pensant à ce qu'ils vont devoir faire. Passant non loin de Fort-Boyard, Gérald fait mine d'actionner la sirène, mais s'en abstient finalement sous le regard noir d'Elisa. Celle-ci récapitule leur plan :

— D'abord, retrouver la bête...

— Faut lui trouver un nom, coupe Julien. Appelons-le Préhistor, ça sonne bien comme nom, hein ? fait-il, content de lui.

Elisa reprend en souriant :

— Donc, retrouver Préhistor... Mais avant, il faudra avoir enroulé une corde autour d'un gros rocher, le plus gros possible... Ensuite, le faire entrer dans sa caverne grâce aux appâts de Julien, puis manœuvrer pour tirer le rocher au-dessus du trou et le boucher... C'est aussi simple que ça !

— Une plaisanterie ! ironise Gérald.

— Il faudra que ce soit toi qui plonges le premier pour attacher les câbles, suggère Elisa, et ensuite moi j'irai à l'eau pour guider la manœuvre.

— Euh... t'es sûre qu'il n'y a pas d'autre moyen ? lâche Gérald, un tantinet refroidi à l'idée de devoir se baigner en compagnie de Préhistor.

— C’est toi le meilleur nageur et le seul capable de piloter la barge, donc...
Gérald se sent partagé entre la fierté d’être si talentueux et l’envie de n’être qu’une personne normale, pas ce demi-dieu à qui incombent tant de périlleuses responsabilités. Il finit par pencher pour le premier choix non sans quelques regrets. Elisa, comme si elle lisait ses pensées, lui tape sur l’épaule affectueusement.
— Que veux-tu, mon Gégé, c’est comme ça quand on est un être exceptionnel !
Il rougit un peu, sans apercevoir le clin d’œil de son aînée envers le plus jeune, qui rit franchement. Après une courte traversée sur une mer d’huile due à l’absence de vent, le remorqueur arrive en vue de la côte d’Oléron, où subsistent quelques nappes de brouillard éparses. Gérald jette un œil sur le compas et change de cap, descendant plein Sud afin de se trouver pile en face du Fort noir, point de repère de l’emplacement de la grotte.
— On devrait pas être loin ! dit Gérald en coupant les gaz.
Il ferme un œil en regardant la côte pour mieux viser, mais le navire, poursuivant un peu sa route sur son élan, pénètre dans une petite zone de brouillard peu épais.
— Je vais jeter l’ancre...

Il court à l'avant de la barge et actionne le guindeau électrique, libérant une ancre rouillée. Les deux bras posés solidement sur la proue de bois, il se penche pour vérifier la manœuvre lorsque jaillit de l'eau, juste devant lui, une immense tête oblongue aux grands yeux globuleux. Surpris, il pousse un hurlement. Préhistor, entendant le cri du garçon, relève les lourdes paupières masquant ses yeux à moitié, et observe avec surprise cette créature bruyante. Il incline la tête d'un côté, puis de l'autre, semblant évaluer son état

mental, puis juge de son absence d'intérêt et replonge dans l'eau délicatement.
Gérald se précipite pour trouver refuge dans la cabine de pilotage, où les deux autres n'ont rien perdu de la scène. Julien bat des mains en riant franchement.
— Il est là ! Il est là ! crie-t-il joyeusement et, sortant de la cabine, il hurle : Préhistor ! Préhistor ! C'est nous, on est là !
Il se penche par-dessus la rambarde de bois pour observer le fond de l'eau. Elisa, qui l'a suivi, le retient prudemment par le tee-shirt. Sans perdre le nord, elle motive Gérald :
— Allez, Gégé, il faut y aller maintenant !
Un bouillonnement précède une nouvelle apparition de l'énorme tête, cette fois sur le côté du bateau où se trouve Julien, comme pour répondre à son appel. Mais Préhistor doit être un peu maladroit, ou peu habitué à ces embarcations civilisées, car, dans son élan, son immense corps percute la barge par le côté, secouant le bateau de gauche et de droite et déversant l'équivalent d'une citerne d'eau, qui se répand partout à bord. Projetés en arrière puis en avant, trempés jusqu'aux os, les trois pêcheurs au gros parviennent tant bien que mal à retrouver leur stabilité sous les yeux écarquillés d'un Préhistor attentif.

Reprenant promptement ses esprits, Julien se rue dans la cabine et extirpe une poignée de croissants, qu'il brandit sous l'immense tête du monstre. Celui-ci ouvre les yeux encore plus grand, penche un peu plus son énorme gueule, qu'il entrouvre, et saisit délicatement les friandises offertes sans même effleurer les doigts du petit bonhomme. Julien n'a pu s'empêcher de se boucher le nez, confronté au souffle plutôt malodorant de la créature, et, tout en l'observant en train d'engloutir son butin, il remarque :

— Dis donc, toi, tu as mauvaise haleine ! Tu ne dois pas te laver les dents tous les jours !

Préhistor se redresse et le bateau se remet à tanguer dangereusement. Gérald manque d'être éjecté, parvient à se rattraper à la chaîne qui pend du treuil et commence à se balancer comme s'il faisait du trapèze volant. Elisa, agrippée bravement à la poignée de la cabine, lâche prise pour l'attraper au vol et le faire redescendre de sa position inconfortable. Julien les rejoint et Elisa prend la direction des opérations :

— Allez, Gérald ! Il faut que tu plonges pour arrimer les cordes autour des rochers. Déjà, il te faut repérer le trou et les blocs qui conviennent.

Sans enthousiasme, Gérald prépare néanmoins le matériel et se déshabille rapidement. Un cri assourdissant, grave et aigu à la fois, retentit au-dessus d'eux. Préhistor donne de la voix, mécontent qu'on le laisse en plan. Il allonge sa longue et grosse tête au-dessus du bateau, plonge vers le trio, semble hésiter un instant et, choisissant Julien, il se penche vers lui et appuie doucement son museau sur son ventre comme pour attirer son attention. Sidéré et flatté, le gamin se laisse faire en souriant, mi-figue mi-raisin.

— Oui, oui ! C'est ça, mon pépère !

D'une main un peu méfiante, quand même, il tapote le sommet du crâne de l'animal, qui se laisse caresser en accentuant sa pression et en le poussant en arrière.

— Profites-en, Gégé ! lance Elisa. Il est sous le charme de Julien !

De fait, l'énorme animal préhistorique paraît apprivoisé par le petit garçon aux cheveux frisés et, malgré sa taille, sa délicatesse est attendrissante. Gérald enfile masque, palmes et tuba, enroule une épaisse corde autour de ses épaules et se jette à l'eau du côté opposé à Préhistor. Après un coup d'œil hésitant vers le gros corps écailleux qui occupe largement la partie gauche du bateau, il plonge la tête et commence à nager. Il aperçoit sous l'eau les énormes nageoires de Préhistor qui remuent majestueusement, provoquant de violents courants autour de lui. Les blocs de rochers sont là, en bas, et il s'agit de repérer le plus gros. Il plonge une première fois, remonte, déroule la corde, qu'il laisse filer dans l'eau, et replonge pour en entourer le rocher. Il doit reprendre sa respiration par deux fois avant de parvenir à passer la corde autour de la pierre et à en remonter l'extrémité avec l'anneau de métal. Pendant que Julien rit aux éclats en jouant avec Préhistor, Gérald tend l'anneau à Elisa pour qu'elle le passe dans le crochet du treuil.

Chapitre 15
Arrestation des coupables

Gérald est remonté à bord afin de passer à la seconde phase de leur plan : attirer Préhistor dans son trou en utilisant les croissants comme appât. La grosse bête s'amuse toujours avec Julien, tantôt relevant son long cou au-dessus de lui, tantôt le rabaissant pour amener sa tête géante devant le petit garçon. Ses gros yeux ouverts en grand et son immense gueule béante lui donnent une expression d'amusement intense qui ravit

Julien. Elisa a pris le stock de croissants pour le tendre à Gérald, qui essaie maintenant d'attirer l'attention du monstre marin.

— Ksss, ksss ! Par ici, mon gros ! appelle Gérald en brandissant une poignée de friandises.

Préhistor tourne ses gros yeux vers lui et approche son cou de la main tendue. De nouveau, il attrape délicatement la nourriture qu'on lui propose. Gérald saute à l'eau en continuant à lui parler. Il lâche un chapelet de croissants, qui flottent entre deux eaux, avant de plonger en direction de la caverne, au-dessus de laquelle il jette tout le paquet. Les délices de Julien disparaissent par l'ouverture et Préhistor plonge la tête à leur suite et, de sa gueule grande ouverte, aspire le chapelet jusqu'à son antre. Il pénètre dans le trou d'un grand coup de nageoire qui manque de faire boire la tasse à Gérald. Celui-ci ne demande pas son reste et remonte sans attendre sur la barge, où Elisa termine d'enfiler son équipement de plongée. D'un geste du pouce pointé en l'air, ils se passent le relais et, tandis qu'Elisa plonge, Gérald fonce dans le poste de pilotage pour mettre le moteur en marche. L'hélice rugit avant qu'il n'enclenche la marche avant. En jouant habilement avec les deux manettes commandant les deux moteurs,

Gérald fait avancer puis reculer le bateau-grue de manière à le placer comme il faut. Elisa, restée un peu à l'écart pour ne pas gêner la manœuvre, fait un grand geste du bras, signifiant que la position est bonne. Gérald avance doucement pour tendre la corde et met toute la gomme. Le rocher doit être lourd, et le bateau se cabre un instant avant d'avancer doucement malgré toute la puissance du moteur. De longues secondes s'écoulent pendant lesquelles Gérald et Julien s'inquiètent. La corde ne va-t-elle pas casser ? Le treuil craque dangereusement, mais ne rompt pas. Le gros rocher, en bas, a dû bouger des quelques mètres nécessaires. Gérald ne quitte pas des yeux Elisa, qui doit lui donner le signal. Enfin, les bras de son amie s'agitent comme un moulin. Il relâche la pression du treuil, qui grince en libérant la corde au bout de son crochet. Elisa grimpe à bord et fonce sur Gérald.

— Gégé ! Tu as été génial ! Le rocher est pile sur l'ouverture, il ne pourra plus sortir ! Nous avons réussi !

— Ouais ! concède Gérald, le sourire modeste, mais il faut finir le boulot. On va mettre d'autres rochers tout autour pour être sûrs qu'on ne viendra plus le déranger.

Et ils consacrent la demi-heure qui suit à la

finition de leur plan, ainsi qu'à la vérification du bouchon de rochers posés devant le trou. Satisfaits de leur travail, les deux grands se tapent dans les mains et se tournent vers Julien. Le petit garçon aux cheveux frisés est assis sur des cordes, dans le fond du bateau, et pleure silencieusement.

— Bah, alors, Juju... s'attendrit Gérald en tendant une serviette à Elisa pour qu'elle se sèche, qu'est-ce que t'as, mon gros ?

Le petit secoue la tête, lève un visage tout triste sur lequel coulent de grosses larmes et ne parvient à articuler qu'un pauvre hoquet.

Elisa s'assied à côté de lui et lui entoure les épaules tendrement.
— Je sais ce que tu as, mon Juju... Pense que c'est ce qui pouvait arriver de mieux... Personne ne lui fera aucun mal, comme ça, et peut-être qu'il va vivre encore quelques millions d'années, tranquillement, en pensant à toi...
Le petit renifle un bon coup en bredouillant :
— Tu crois ? Il était si sympa, Préhistor !
Et il fond en larmes, la tête dans les mains. D'un signe de tête vers Gérald, Elisa lui signifie qu'elle va essayer de le consoler et qu'il faut maintenant ramener le bateau emprunté avant qu'il ne soit trop tard. Gérald donne une tape affectueuse sur les cheveux de son ami et retourne dans la cabine pour manœuvrer la barge, cap sur le port de Fouras. En passant devant Fort-Boyard, ils s'aperçoivent que, le temps ayant passé plus vite que prévu, le tournage est terminé et que tout le monde est reparti à terre. Elisa s'en inquiète :
— Aïe ! Il doit être tard ! J'espère que tout va bien se passer.
En vue du petit port de la Fumée, ils distinguent avec angoisse un bateau qui fonce vers eux : les gardes-côtes. Arrivé à leur hauteur, le navire gris fait résonner sa sirène et un haut-parleur se fait entendre :

— Suivez-nous jusqu'à Fouras ! Vous êtes en état d'arrestation !
Gérald avale sa salive et maugrée :
— Ben... c'te bonne blague... C'est là qu'on va, alors !
Escortés par la Marine nationale, ils rejoignent la rade de Fouras et jettent l'ancre au corps mort, d'où le Zodiac avait disparu. La manœuvre terminée, on les invite à monter sur le navire officiel pour se rendre à quai. Sur la jetée de pierre, une foule les attend. Une grande partie de l'équipe du tournage, des gendarmes, des badauds se sont attroupés, attendant leur arrivée à terre. Un gendarme galonné les accueille d'un air sévère.
— Mes enfants, j'attends vos explications.
Elisa respire à fond et se lance, après un coup d'œil à ses deux complices :
— Tout d'abord, je tiens à présenter nos excuses pour l'emprunt du remorqueur.
Un murmure réprobateur parcourt l'auditoire. Elle poursuit d'un ton posé, en choisissant soigneusement ses mots :
— Ensuite, je dois vous dire qu'il y avait effectivement un monstre marin. Nous l'avons aperçu ce matin et des témoins pourront vous le confirmer.
Quelques commentaires fusent parmi la foule. Christian, Fernand et quelques personnalités

de l'équipe du tournage se sont rapprochés du cercle. Gérald et Julien se font minuscules.
— C'est pour cette raison, continue Elisa, que nous avons dû emprunter le remorqueur. Nous voulions essayer de le capturer pour le ramener à terre, et seul ce bateau-là nous le permettait. Hélas, nous l'avons retrouvé, mais il a fui vers le large et je pense qu'à cet instant il est très loin en pleine mer ! Nous l'avons suivi un moment et puis nous nous sommes décidés à rentrer pour restituer le bateau que nous avions pris. Voilà...
Le gendarme regarde la jeune fille avec un sourire incrédule.
— Et vous croyez que nous allons nous contenter d'une histoire pareille ?
— Mais c'est vrai, m'sieur ! affirme Gérald, la main sur le cœur, la sincérité faisant trembler sa voix.
— Nous avons entendu parler de cette histoire de monstre marin, poursuit le lieutenant de gendarmerie, mais je dois avouer que je n'y crois guère. Ce ne serait pas la première fois que...
— Vous avez tort, lieutenant ! coupe une voix familière.
Christian, après avoir écarté les gens qui s'agglutinaient autour des jeunes coupables, intervient poliment :

— J'ai été moi-même témoin d'une rencontre avec un monstre sorti de l'eau, ce matin, avec ces trois jeunes personnes... De plus, de nombreuses personnes, marins pêcheurs ou plaisanciers, pourront vous apporter des témoignages précis. Ce matin, à Fort-Boyard, nous avons recueilli un plaisancier qui a fait naufrage devant Oléron après avoir percuté, selon ses dires, une créature gigantesque recouverte d'écailles. Je l'ai vu, je vous assure, c'est certainement un animal préhistorique.
— C'est un animal préhistorique ! assure Elisa avec conviction. Selon un livre du père Fouras, il s'agirait d'un brachiosaure, ajoute-t-elle fièrement.
Le lieutenant hésite :
— J'aimerais bien vous croire, mais...
— Peut-être ceci pourrait-il vous convaincre ? lâche Christian en tendant au lieutenant la photo de Préhistor prise par Gérald.

Epilogue

Sur le quai, Gérald, entouré d'Elisa, Julien et Christian, est cerné par une meute de journalistes, micros tendus et caméras au poing. Il répond en prenant l'air modeste :
— Oui, oui... La photo, c'est moi qui l'ai prise... Un « branchosaure », sans le moindre doute... Oh, il doit être très loin, maintenant, il faut aller voir les Américains ! ajoute-t-il finement.
Julien se rengorge aussi et donne son avis :

— Je pense qu'il était plutôt inoffensif... Il adore les croissants... Oui, oui, je lui en ai donné... Il était très délicat et bien élevé pour un animal préhistorique... Mais on ne le verra plus jamais, il a eu peur et il est parti... conclut-il avec un clin d'œil à Elisa.

Celle-ci semble vraiment soulagée de la tournure prise par les événements. Elle accorde son plus beau sourire à Christian.

— Quand même, quelle bonne idée tu as eue de faire développer tout de suite cette photo au labo du fort !

Ils rient ensemble et fendent la foule des journalistes, bras dessus, bras dessous.

TABLE DES MATIÈRES

Les visions de Baptiste 5
Monstres marins 13
Le naufragé 21
Balade dans le brouillard 29
Bruits de comptoir 37
Le livre du père Fouras 45
Gérald lance un emprunt 53
Rencontre dans la brume 61
Préparatifs pour un safari 69
Repérages sous-marins 77
Le monstre est affamé 85
La pêche au gros 93
Le remorqueur 101
Préhistor 109
Arrestation des coupables 117
Epilogue 125

Impression réalisée sur CAMERON
par BRODARD ET TAUPIN
La Flèche
en juin 1994
N° d'impression : 1843 J-5